à ma fille Hamie

De la même auteure

La petite luzerne germée, conte pour enfants.

Le Guide de l'alimentation saine et naturelle, Tome II.

La Spiruline.

Le Guide des bons gras (co-auteure Danielle Gosselin).

ILLUSTRATIONS: MICHELLE PELLETIER

PHOTOCOMPOSITION: SUZANNE RAJOTTE
                                       DES ATELIERS SYLVESTRE, SOREL

PHOTOS: DANIEL COURNOYER

CONCEPTION GRAPHIQUE
ET MISE EN PAGE: GUY BERGERON

© LES ÉDITIONS MAXAM INC. (450) 448-5049

DÉPÔT LÉGAL: 4e TRIMESTRE 1987

ISBN 2-9801115-0-3

le GUIDE de l'alimentation saine et naturelle

Renée Frappier

J'ai fait de plus loin que moi
un voyage abracadabrant
il y a longtemps que je ne m'étais pas revu
me voici en moi
comme un homme dans une maison
qui s'est faite en son absence
je te salue, silence

je ne suis plus revenu pour revenir
je suis arrivé à ce qui commence

L'homme rapaillé
de Gaston Miron

LES ÉDITIONS PRESSES DE
L'UNIVERSITÉ DE MONTRÉAL
1970

REMERCIEMENTS

Éditer à compte d'auteure est une aventure qui nécessite beaucoup de travail et comporte de nombreuses exigences.

La réalisation d'un tel projet n'est possible qu'avec la participation enthousiaste d'une équipe de personnes ressources intervenant aux différentes étapes du processus.

Je veux témoigner de mon appréciation de ce travail d'équipe qui a été pour moi stimulant et enrichissant; je remercie chaleureusement toutes ces personnes pour la qualité de leur contribution et leur intérêt soutenu.

Je tiens à souligner particulièrement celle de Danièle Gosselin pour son accompagnement tout au long de mon cheminement, sa lecture attentive, sa critique éclairée; celle aussi de Guy Bergeron pour sa minutie et son professionnalisme à la conception graphique et au montage.

Merci à toute cette équipe qui a permis que ce travail d'édition soit un plaisir inoubliable:

Lise Benoît, Christiane Bessette, Gilles Chalifoux, Daniel Cournoyer, Danièle Dubé, Odette Frappier, Danièle Lamontagne, Michelle Pelletier, Suzanne Rajotte.

Renée Frappier,
L'auteure

Avant-propos

Le GUIDE de l'alimentation saine et naturelle est le résultat de nombreuses années de recherche et d'enseignement en la matière par l'auteure.

Son but est de promouvoir auprès de la population la santé et la qualité de vie qui sont des valeurs essentielles à l'épanouissement et au bien-être des individus, de la société.

Un nombre croissant d'individus ressentent la nécessité d'un changement du mode de leur alimentation, sans trop savoir comment faire, où commencer.

Le GUIDE de l'alimentation saine et naturelle propose une **méthode gagnante** pour réussir avec plaisir et connaissance une démarche vers la santé.

Présentation

Ouvrir ce manuel, c'est ouvrir une porte qui donne sur la conscience: de soi-même, de son milieu de vie et de son environnement. Cette ouverture est déjà en soi une action de changement.

Cet ouvrage résume l'essentiel des notions fondamentales à connaître et à assimiler pour amorcer ou poursuivre une démarche active en alimentation saine.

L'expression **alimentation saine** désigne un concept global, impliquant un désir et une volonté de l'individu de transformer ses habitudes alimentaires pour vivre en meilleure santé, en consommant des aliments **nutritifs** et **sains.**

Le terme **naturel** est utilisé pour décrire un aliment ou un ingrédient d'un aliment qui n'a subi aucune modification chimique par l'homme, après la récolte et pendant le processus de transformation, s'il y a lieu; il ne contient par conséquent aucun additif chimique.

Le terme **BIOlogique** est utilisé pour désigner un aliment qui provient d'un sol n'ayant pas été fertilisé ou traité chimiquement. C'est du naturel au carré!

Ces trois notions comportent un programme de vie et ouvrent des perspectives nouvelles et stimulantes, suscitent des questionnements sur les habitudes contemporaines, la monotonie et les carences de l'alimentation, sur les pratiques de l'industrie alimentaire, sur les politiques nationales et internationales et enfin, sur l'écologie et l'équilibre de l'environnement planétaire.

Pour faciliter ce cheminement, le GUIDE a été construit en deux sections:

1. SECTION "THÉORIE"

a) **Volet scientifique** expliquant de façon simple et concise les besoins nutritifs de l'organisme et le fonctionnement du système digestif.

b) **Volet alimentaire** complet décrivant les produits, leur valeur nutritive et la manière de les apprêter, pour apprendre à équilibrer des menus sans viande. De plus, un chapitre intitulé "La méthode gagnante" est consacré à l'intégration de ces principes dans notre quotidien.

2. SECTION "PRATIQUE"

• Près de deux cents **recettes** faciles, nutritives et appétissantes pour vous mettre l'eau à la bouche. De plus, l'explication de plusieurs techniques de base suivies de dizaines de suggestions vous invitent à créer vous-mêmes de savoureuses recettes.

Enfin, rappelons-nous que bien se nourrir est un art de vivre. De nos jours, nous mangeons à la fois trop et trop peu: trop en quantité et trop peu en qualité.

"L'EXCÈS DE NOURRITURE EST LA CAUSE DE TOUTES NOS MALADIES. (Hippocrate)

CHAPITRE I

Les additifs chimiques

OBJECTIFS:

Éveiller la curiosité sur la nature et le contenu des aliments.

Apprendre à exiger la qualité devant cette industrie qu'est l'alimentation.

Nous sommes ce que nous mangeons

Alors, pourquoi manger de l'hydroxytoluène de butyle, un additif largement utilisé (BHT)?

C'est un fait reconnu que la piètre qualité des aliments que nous consommons et l'augmentation des maladies dégénératives sont étroitement liées.

Sans élaborer sur ce sujet, voyons plutôt, au moyen de trois petites devinettes, la qualité des produits consommés couramment par la population.

QUI SUIS-JE?

Produits consommés couramment	produits consommés en alimentation saine

—————————————— en comparaison avec ——————————————

1.
Sucre, gélatine, acide adipique, citrate trisodique, acide fumarique, arômes artificiels et naturels, sel, colorant, phosphate tricalcique, acide acétique, acide lactique, malthol d'éthyle?

1.
Jus de fruit, agar-agar fruits?

2.
Farine blanche, glucose, shortening d'huile végétale et/ou de palme modifiée et/ou hydrogénée, sel, levure, stéaryl - 2 - lactylate de sodium, sulfate de calcium, bromate de potassium, chlorure d'ammonium, monoglycérides, propianate de potassium?

2.
Farine de blé entier, eau de source, levure, miel, huile végétale?

3.
Sucre (peut aussi contenir du dextrose) dextrine de maïs, acide citrique, gomme de cellulose, phosphate tricalcique, gomme xanthane, arôme naturel et artificiel, colorant, vitamine C (212 mg/100 g)

3.
Oranges

RÉPONSES:

1. JELL-O	1. GELÉE AUX FRUITS
2. PAIN BLANC	2. PAIN DE BLÉ ENTIER
3. TANG	3. ORANGES

Ces exemples inspirés du livre ''Additive Alert de Linda R. Pim parlent d'eux-mêmes...

- De plus, il ne faut pas oublier l'empoisonnement que subit l'aliment quel qu'il soit par ce qu'on appelle les **additifs environnementaux** (les pesticides, les antibiotiques, les moisissures, les polluants organiques, c.-à-d. à base de carbone comme les BPC et le DDT, les métaux lourds, les pluies acides... (1)

- Et que dire de l'irradiation des aliments, nouvelle technique de conservation qui, quoique toujours à l'étude, est déjà utilisée dans certains secteurs de l'industrie alimentaire!

- Selon Statistiques Canada, 117 millions de livres d'additifs chimiques ont été utilisés au Canada en 1979 (soit environ 5 livres par personne). Ajoutons à cela environ 85 lb de sucre, 15 lb de sel... tout un festin annuel!

- L'additif le plus utilisé est le sucre (10 fois plus que tous les autres; 2 600 additifs) et le 2e est le sel.

Pour réduire considérablement notre "potion chimique", éliminons les achats d'aliments raffinés, de charcuterie, etc. **et choisissons des grains entiers, des légumineuses, des noix et des graines, des fruits et des légumes frais.**

D'où l'importance de:

- Lire soigneusement les étiquettes.

- Exiger des produits de qualité biologique, c.-à-d. cultivés sans produits chimiques (fertilisants et pesticides).

- Intervenir dans les dossiers concernant la qualité de l'environnement et des aliments.

C'EST LA VIE QUI ENGENDRE LA VIE: RIEN D'AUTRE!

CHAPITRE II

Les changements progressifs

Un changement progressif des habitudes alimentaires est privilégié, afin de favoriser une transformation harmonieuse et durable autant pour le corps, la famille et le milieu.

1 . Manger lentement, en prenant des petites bouchées; bien mastiquer pour goûter et faciliter la digestion.

2 . Diminuer la quantité d'aliments absorbés à chaque repas. S'écouter davantage et ne pas outrepasser son appétit et ses besoins. La nourriture est un carburant, à nous de doser pour éviter l'encrassement. Manger moins garde l'esprit et le corps alertes, en conservant toutefois un poids-santé.

3 . **Éviter de boire pendant et après le repas pour ne pas diluer les sécrétions gastriques et nuire à la digestion. Prendre la bonne habitude de boire avant ou deux heures après les repas.**

4 . Boire davantage d'eau de source: au lever, avant et entre les repas, au coucher. Ceci aide à remplacer les boissons excitantes (thé, café, alcool) par des boissons saines (eau de source, tisanes, substitut du café à base de céréales).

5 . Ne pas manger avant de se coucher, afin de permettre au corps de se désintoxiquer durant la nuit.

6 . Commencer chaque repas avec des crudités sous forme de salades de légumes ou de fruits frais; cette pratique augmente notre consommation de légumes et de fibres. En outre, consommer des aliments crus avant des aliments cuits assure une excellente digestion et diminue la sensation de fatigue et de somnolence ressentie après un repas composé uniquement d'aliments cuits.

7 . Introduire des aliments complets et nutritifs en remplacement des aliments à forte teneur en calories mais dont la valeur nutritive est nulle ou presque: les "calories vides".

a) Éliminer le sucre blanc.

Dans un premier temps, remplacer les desserts par des fruits et/ou des laitages sous forme de yogourt. Très vite, cette habitude de terminer le repas par un dessert sera tout simplement perdue. Le dessert ne réapparaîtra que pour les occasions spéciales; il ne sera plus une habitude.

b) Consommer des céréales entières.

Remplacer immédiatement les céréales raffinées par les céréales entières, c.-à-d. non décortiquées, contenant plus de fibres et d'éléments nutritifs. Il est facile d'adopter le pain complet, le gruau, le riz complet, les pâtes alimentaires complètes sans que cela ne révolutionne le menu. Introduire graduellement dans l'alimentation des céréales moins connues comme le millet, le sarrasin, etc.

c) Diminuer la consommation d'acides gras saturés.

Consommer les huiles végétales de première pression non-hydrogénées et riches en acides gras polyinsaturés, pour remplacer les huiles raffinées et les graisses solides. Surveiller la consommation du fromage et diminuer progressivement la viande.

8 . Introduire davantage de légumes frais et de germes et réduire la consommation des conserves. Ces dernières contiennent du sucre, du sel, des produits chimiques, et les légumes ont perdu une partie de leur valeur nutritive en raison de la cuisson excessive. En manger moins incite à une **alimentation fraîche, saisonnière et nutritive**.

9 . Ne pas oublier que manger est un rituel, un plaisir à partager.

L'adoption de chacune de ces nouvelles habitudes est un succès en soi, et très rapidement des effets bénéfiques pour le corps et pour l'esprit se font sentir tout en résolvant de nombreux problèmes de santé, y compris l'excès de poids.

VARIÉTÉ, MODÉRATION ET CHANGEMENT "ÉVOLUTIONNAIRE"

NOTE: Lorsqu'une certaine habitude alimentaire est trop difficile à abandonner, se concentrer plutôt sur l'acquisition d'une meilleure habitude jusqu'à ce que l'autre disparaisse graduellement, ayant de moins en moins d'espace pour se manifester.

Ex.: - Manger une crudité ou boire de l'eau chaque fois que le goût du sucre ou du café s'impose.

- Manger davantage de protéines végétales (céréales, légumineuses) afin de diminuer la consommation de viande.

- **Boire de l'eau au lieu de grignoter.**

- Prendre une marche plutôt que de manger avant de se coucher.

UNE IDÉE POUR NE PAS S'ENCRASSER:

. Une journée de jus par semaine = 52 jours/an = 1 an/7 ans.

. Ne prendre que de bons jus préparés à l'extracteur, aux deux heures si nécessaire. Les jus se digèrent en quinze minutes.

UN REPOS DIGESTIF NETTOYANT...

CHAPITRE III

Survol des différentes philosophies alimentaires

Dès que l'on s'intéresse à la qualité de l'alimentation, nous découvrons différentes philosophies ou doctrines qui nous semblent souvent contradictoires.

Une alimentation saine représente un concept global de transformation. Une option pour l'une ou l'autre de ces philosophies rend la démarche plus spécifique et doit être sous-tendue par des connaissances, des études et des recherches plus approfondies, car nous sommes tous différents les uns des autres et nous devons composer avec notre hérédité, nos antécédents, notre potentiel énergétique, notre entourage.

Dans l'ensemble, ces différents régimes alimentaires utilisent les mêmes produits de base (céréales, légumineuses, etc.), mais ceux-ci sont apprêtés (crus ou cuits), répartis et dosés différemment suivant le régime. Toutes ces philosophies reconnaissent et insistent sur l'importance de l'air (respiration, exercices) de l'eau et de la lumière comme facteurs de santé.

Voici donc, à titre d'information, une description très sommaire de chacune de ces philosophies.

VÉGÉTARISME:

N'accepte que les produits du règne végétal: céréales entières, légumineuses, noix, graines, légumes, fruits. Il se subdivise comme suit:

- **Lacto-ovo végétarisme:** inclut les sous-produits du règne animal comme les produits laitiers et les oeufs.
- **Semi-végétarisme:** inclut les produits laitiers, les oeufs du règne animal, avec en plus la volaille et le poisson à l'occasion.
- **Végétarisme strict ou végétalisme:** exclut tous les produits et sous-produits qui ne proviennent pas du règne végétal (viande, produits laitiers, oeufs, miel).

HYGIÉNISME:

Régime végétarien où le menu est établi selon les règles des combinaisons alimentaires et où le jeûne à l'eau constitue la base préventive et curative. On préconise la consommation d'aliments crus.

MACROBIOTIQUE:

Régime à base de céréales, principalement le riz complet, par lequel on tend vers l'équilibre yin-yang de l'individu. Les produits laitiers sont remplacés par les algues; on y consomme du poisson à l'occasion. On préconise la cuisson des aliments.

ALIMENTATION VIVANTE:

Régime végétarien à base d'aliments crus: germes, noix, graines, légumes frais et lacto-fermentés, jus d'herbe de blé, autres jus verts, rejuvelac. Aussi appelé, ''crudivorisme''.

CONNAISSANCE, SOUPLESSE ET PROGRESSION
DANS CES DÉMARCHES SONT DE RIGUEUR

CHAPITRE IV

Les besoins de l'organisme

Dans les pays industrialisés comme le Québec, la malnutrition provient, non pas d'un manque de nourriture **mais d'un manque d'éléments nutritifs** dans les aliments consommés. Il est donc très important de choisir ses aliments afin d'éviter les carences.

OBJECTIF:

Faire connaître de façon claire et simple:

- **les besoins nutritionnels de l'organisme,**
- **les meilleures sources de nutriments ainsi que leur rôle,**
- **les besoins énergétiques (calorifiques) de l'organisme.**

Toutefois, il ne faudrait pas oublier que pour être en pleine forme et **goûter toute la force et la puissance de la santé**, il faut également tenir compte des facteurs suivants: la respiration profonde, l'exercice, la capacité de se détendre, les pensées positives... Un beau programme en perspective, n'est-ce pas?

DÉFINITION:

Les nutriments sont les composants des aliments qui sont nécessaires à l'organisme en quantités déterminées:

1. **Les glucides et tous les sucres qui les composent.**
2. **Les lipides et les acides gras qui les composent.**
3. **Les protéines et les acides aminés qui les composent.**
4. **L'eau.**
5. **Les vitamines.**
6. **Les minéraux et les oligo-éléments.**

RÔLE:

1. Carburant pour fournir énergie et chaleur
   a) Glucides (amidon et sucres)
   b) Lipides (graisses)
2. Matériaux de construction et d'entretien
   a) Protéines (végétales et animales)
   b) Sels minéraux
   c) Eau
3. Substances régulatrices
   a) Vitamines
   b) Sels minéraux
   c) Fibres
   d) Eau

POURQUOI MANGEONS-NOUS?

Pour assurer:

- **notre pleine croissance et notre entretien,**
- **notre développement physique et psychique,**
- **notre immunité,**
- **la pérennité (continuité) de notre espèce,**

et non pas seulement pour calmer notre faim; d'où l'importance de la QUALITÉ de notre nourriture.

- Plus de 100 000 substances différentes composent le corps humain; 45 d'entre elles ne peuvent être synthétisées par l'organisme. Il faut donc les lui apporter par l'alimentation.

1. Glucides

DÉFINITION:

- Les glucides sont des molécules résultant de la combinaison particulière du carbone (C), de l'hydrogène (H) et de l'oxygène (O). On peut les classer en 3 groupes: simples, doubles et complexes (voir tableau page suivante).

- Synonymes: hydrates de carbone, sucres.

- Les glucides (dérivé du mot grec **glukus** qui signifie "doux") sont absorbés au niveau du petit intestin principalement sous forme de glucose (sucre simple). Les sucres doubles et complexes doivent être transformés par la digestion avant d'être absorbés.

- Lors de leur combustion (métabolisme) les glucides libèrent 4 Calories/gramme ou 17 kilojoules/gramme (système métrique).

RÔLE:

- Principale source d'énergie du corps.

- NOTRE PRINCIPAL CARBURANT: disponible, économique, essentiel.

- Le glucose constitue la seule forme d'énergie utilisable par le cerveau.

- Permettent une meilleure utilisation des lipides.

- Aident au bon fonctionnement du foie.

- Favorisent l'absorption des protéines.

- Favorisent une bonne élimination par leur action favorable sur la flore intestinale (fibres alimentaires).

DANS NOTRE CORPS: C'EST LA COOPÉRATION!

GLUCIDES

CATÉGORIES	SOURCES
1. **Sucres simples** (monosaccharides) - glucose - fructose - galactose	fruits, légumes, miel
2. **Sucres doubles** (disaccharides) - sucrose ou saccharose - lactose - maltose	canne et betterave à sucre, sirop, mélasse lait malt (sirop, poudre)

NOTE: * les sucres trop concentrés d'assimilation rapide sont à éviter car ils dérèglent notre glycémie normale: 100 mg de glucose / 100 ml de sang et fatiguent le foie et le pancréas.

3. **Sucres complexes** (polysaccharides) - amidon - dextrine	grains de céréales légumes tubercules légumineuses farines et grains grillés

NOTE: L'amidon est une excellente source de glucose, donc d'énergie. Son assimilation s'effectue de façon continue car les sucres complexes doivent être décomposés en sucres simples avant d'être absorbés. Ils interfèrent moins sur la glycémie.

Fibres alimentaires (non assimilable)	son des céréales légumes, fruits (pelure) légumineuses

REMARQUES

- les fruits frais fournissent entre 10 - 20% de sucres simples
- les fruits séchés fournissent 57%
- les légumes entre 5 - 15%

*le miel 75% de sucres simples

N.B.: les sucres simples sont d'absorption rapide.

---

*le sucre fournit 99% de saccharose

- le lait de vache fournit 4,9% de lactose.

N.B. les sucres raffinés ne contiennent peu ou pas d'éléments protecteurs (vitamines-minéraux) et constructeurs (protéines). Ce sont des calories vides.

- Les sucres doubles sont aussi d'absorption rapide.

- les céréales fournissent 90% d'énergie
- à partir de l'amidon.

N.B.: l'amidon est d'assimilation lente surtout si accompagné de fibres.

- un ensemble de glucides complexes non assimilables composent les fibres alimentaires essentielles au bon fonctionnement de l'intestin.

EFFETS D'UNE ALIMENTATION TROP RICHE EN GLUCIDES

- Le corps n'emmagasine qu'une petite partie du glucose dans le foie et les muscles, sous forme de glycogène.

- Quand l'organisme reçoit plus de calories qu'il n'en dépense, l'excès est transformé en graisse et mis en réserve dans les tissus adipeux; c'est ainsi que l'obésité peut se développer.

- Surmenage du foie et du pancréas: lorsque la glycémie normale est perturbée par un taux de sucre trop élevé dans la circulation, le pancréas émet une hormone, l'insuline, pour abaisser la glycémie.

- Caries dentaires s'il s'agit de substances qui collent au dents (sucreries, pain, fruits séchés).

RÉFLEXION SUR LE SUCRE

Au Québec, la **consommation** annuelle de sucre par individu atteignait 39 kg (85,8 lb) par année en 1983. Ce sucre provient en très grande partie de produits raffinés et transformés comme les bonbons, les biscuits et gâteaux du commerce, les crèmes glacées, les conserves, les boissons gazeuses, les céréales raffinées, etc.

Au début du siècle, notre carburant ou source d'énergie provenait de glucides complexes (amidon) trouvés dans les céréales, les légumineuses et les pommes de terre. Maintenant les aliments raffinés, gras et sucrés ainsi que la viande pourvoient à nos besoins. Mais à quel prix?

Avide de profits, l'industrie sucrière met de l'avant une publicité massive pour nous convaincre, petits et grands, que le sucre est une excellente source d'énergie.

Attention à ces publicités trompeuses et mensongères.

AU FAIT, QUELLE EST NOTRE MEILLEURE SOURCE D'ÉNERGIE?

L'amidon (sucre complexe)

Il se transforme en sucre simple utilisable par l'organisme dans une proportion de 90%, s'assimile progressivement (surtout si accompagné de fibres) sur une période de 4 à 8 heures, évitant une surcharge de glucose dans la circulation sanguine.

Quelles sont nos meilleures sources d'amidon?

Les céréales, les légumineuses, les légumes-racines. Ces aliments fournissent également des protéines, des minéraux, des vitamines du complexe B (nécessaire à l'assimilation du glucose) ainsi que des fibres alimentaires. Le sucre raffiné est complètement dépourvu de toutes ces richesses nutritives.

De plus, les céréales, légumineuses et légumes-racines sont:

- faciles à cultiver **sous notre climat,**
- économiques à la production et à l'achat,
- de véritables conserves naturelles qui peuvent se garder telles quelles (sans cuisson et sans sucre), longtemps et en bon état.

L'habitude de consommer du sucre entraîne de graves désordres pour la santé physique et mentale de l'individu.

Il n'est pas nécessaire d'ajouter du ''sucre'' à notre alimentation car il y en a déjà dans plusieurs aliments (céréales, féculents, fruits). En consommant plus de céréales à **grains entiers** qui contiennent une grande quantité de sucres complexes (amidon), le besoin de desserts se perd plus facilement. En outre, plus nous mangeons d'aliments frais plus nous réduisons notre consommation de sucre.

Les habitudes alimentaires bonnes et mauvaises s'acquièrent jeune. D'où l'importance de sensibiliser et d'informer les enfants et surtout... de leur donner l'exemple.

SAVIEZ-VOUS QUE:

- Le sucre est l'additif utilisé le plus abondamment lors de la transformation industrielle des aliments. Il se cache presque partout, sous plusieurs identités: surveiller tous les mots se terminant en "ose" comme sucrose, dextrose, etc. ou en "ol" comme sorbitol, mannitol, etc.

- Les céréales du matin en boîtes contiennent de 0,1% à 56% de sucre et souvent les enfants... ainsi que les grands... rajoutent encore du sucre.

Riz soufflé: 0,1%	Raisin Bran: 29%
Life: 16%	Sugarsmacks: 56%
All Bran: 19%	

À titre d'exemple, voici l'équivalence, en termes de cuillérées à thé de sucre, de quelques produits de consommation courante.

PRODUITS ———— Contient l'équivalent de —— c. thé de sucre	
1 morceau de gâteau au chocolat avec glaçage	15
10 on. de boisson gazeuse	8
1 tablette de chocolat	7
1/2 tasse yogourt commercial aux fruits	6 1/2
8 on. de lait au chocolat	6
8 on. de "Kool-aid"	6
1/2 tasse de crème glacée	5-6
1 beigne nature	4
1 c. à soupe de confiture	3
1 c. à soupe de catsup	1
1 gomme à mâcher	1/2

*La gomme à mâcher "sans sucre" est sucrée avec des succédanés du sucre.

*La cassonade, faussement considérée comme un sucre moins raffiné, est en fait du sucre blanc "coloré" à la mélasse!

Toutes ces données proviennent d'analyses faites par le Département de l'Agriculture des États-Unis.

À propos des fibres alimentaires

Par fibre alimentaire, on entend les parties de la plante (règne végétal) non assimilées par notre organisme, parce que nous n'avons pas les enzymes pour les digérer.

Elles comprennent:

- cellulose
- hémicellulose
- lignine
- pectine
- gomme
- mucilage

RÔLE:

- Les fibres préviennent la constipation:
    - leur volume stimule la péristaltisme (mouvement du tube digestif); fini la paresse intestinale et la putréfaction,
    - leur capacité d'absorber l'eau augmente le volume des selles et leur donne une consistance plus molle.
    - un voyage complet du bol alimentaire de l'entrée à la sortie prend en moyenne 36 heures pour un menu riche en fibres, 78 heures et plus si le régime en est dépourvu.

- Selon la Société canadienne du cancer, les fibres protègent contre les cancers du côlon, du rectum. (1)

- Elles peuvent aider à prévenir les maladies diverticulaires et les hémorroïdes.

- Elles réduisent la quantité d'aliments consommés en donnant une impression de satiété.

- Elles incitent à une meilleure mastication.

- Elles permettent une absorption plus régulière du glucose dans le sang, perturbant moins la glycémie.

- Certaines variétés de fibres comme la pectine des fruits et des carottes, les gommes dans les légumineuses, le son de l'avoine contribuent à diminuer le taux de cholestérol car elles ont la capacité d'éliminer des sels biliaires composés de cholestérol. (2)(3)

QUANTITÉ RECOMMANDÉE

Le Comité consultatif canadien d'experts sur les fibres alimentaires recommande d'absorber 30 g de fibres par jour. On consomme présentement environ de 3 à 15 g de fibres par jour. Il faut donc **augmenter** et **varier** nos sources de fibres. Afin d'éviter les malaises ou les gaz intestinaux, augmenter progressivement la quantité de fibres et boire suffisamment (6-8 verres d'eau par jour). Les fibres absorbent l'eau.

SOURCES

Céréales entières, légumineuses, graines de lin, fruits et légumes crus, germes. Varions les sources; **le son n'est pas la seule source de fibres alimentaires.**

2. Lipides

DÉFINITION:

- Les lipides (dérivé du mot grec **lipos** qui signifie ''graisse'') sont des molécules résultant de la combinaison particulière du carbone, de l'hydrogène et de l'oxygène (CHO).

- Ils renferment les **acides gras essentiels.**

- Ils sont digérés et absorbés au niveau du petit intestin, sous forme d'acides gras et de glycérol.

La bile du foie brise les graisses en fines particules (émulsion) pour que les enzymes puissent les digérer (petit intestin).

SORTES:

- Il y a trois sortes d'acides gras: les saturés, les mono-insaturés et les polyinsaturés.

- Lors de leur combustion (métabolisme) les lipides libèrent 9 Calories/gramme ou 37 kilojoules/gramme (système métrique), soit plus du double d'énergie que les glucides et les protéines.

RÔLE:

- Constituer une source concentrée d'énergie (9 Cal./g).

- Aider à transporter et à absorber les vitamines liposolubles (A, D, E, K).

- Assurer des réserves d'énergie (tissus adipeux).
- Fournir les acides gras essentiels (A.G.E.).
- Isoler et protéger certains organes comme le foie, le coeur et les nerfs.
- Procurer une sensation de satiété en ralentissant la digestion dans l'estomac.
- Aider au maintien de la température corporelle.
- Rehausser la saveur et la texture des aliments.

DESCRIPTION:

A. Acides gras saturés

$$\begin{array}{c} H\ \ H\ \ H\ \ H\ \ H\ \ H \\ |\ \ \ |\ \ \ |\ \ \ |\ \ \ |\ \ \ | \\ H\text{-}\ C\text{-}\ C\text{-}\ C\text{-}\ C\text{-}\ C\text{-}\ COOH \\ |\ \ \ |\ \ \ |\ \ \ |\ \ \ |\ \ \ | \\ H\ \ H\ \ H\ \ H\ \ H\ \ H \end{array}$$

- Ils sont principalement d'origine animale.
- Ils sont solides à la température de la pièce.
- Ils ne contiennent pas de liens doubles.
- Les aliments riches en gras saturés contiennent également du cholestérol.
- Ils ne fournissent pas les acides gras essentiels qui eux sont polyinsaturés.

Sources d'acides gras saturés

Viande, volaille, beurre, chocolat, fromage, lait, jaune d'oeuf, huile de palme et de coco, graisse végétale.

B. Acides gras mono-insaturés & polyinsaturés

$$\begin{array}{c} H\ \ H\ \ H\ \ H\ \ H\ \ H \\ |\ \ \ |\ \ \ |\ \ \ |\ \ \ |\ \ \ | \\ H\text{-}\ C\text{-}\ C\text{-}\ C = C\text{-}\ C\text{-}\ C\text{-}\ COOH \\ |\ \ \ |\ \ \ \ \ \ \ \ \ |\ \ \ | \\ H\ \ H\ \ \ \ \ \ \ \ H\ \ H \end{array}$$

un lien double

$$\begin{array}{c} H\ \ H\ \ H\ \ H\ \ H\ \ H \\ |\ \ \ |\ \ \ |\ \ \ |\ \ \ |\ \ \ | \\ H\text{-}\ C\text{-}\ C = C\text{-}\ C = C\text{-}\ C\text{-}\ COOH \\ |\ \ \ \ \ \ \ \ \ \ \ \ \ \ \ \ \ \ \ | \\ H\ \ \ \ \ \ \ \ \ \ \ \ \ \ \ \ \ H \end{array}$$

2-3 ou 4 liens doubles

- Ils sont principalement d'origine végétale.

- Ils sont liquides à la température de la pièce.
- Ils fournissent les acides gras essentiels.
- Ils rancissent plus facilement que les acides gras saturés à cause de leurs liens doubles qui peuvent réagir avec l'oxygène, la chaleur et la lumière.

Sources d'acides gras, mono et polyinsaturés:

mono-insaturés	poly-insaturés
avocat	huile de carthame
noix de cajou	graine de tournesol et huile
arachide et son huile	amande
beurre d'arachide	fève de soya et son huile
olive et son huile	huile de maïs

À propos des acides gras essentiels (A.G.E.)

- Deux sortes d'acides gras **polyinsaturés** sont dits **essentiels** car l'organisme en a besoin mais ne les produit pas; il faut donc les lui fournir par l'alimentation. Il s'agit des acides **linoléique** et linolénique.
- Ils contribuent à la bonne santé de la peau.
- Ils règlent la perméabilité des membranes de chacune de nos cellules.
- Ils favorisent une diminution du taux de cholestérol sanguin.
- Il faut s'assurer de consommer des A.G.E. chaque jour et diminuer la consommation d'acides gras saturés.
- Consommés à l'excès ils peuvent être nuisibles.
- Ils sont fragiles aux températures élevées et à l'air.

Sources

- Graines de carthame, de lin, de tournesol et de sésame, fèves soya, maïs et leurs huiles pressées à froid.

NOTE: Les acides gras essentiels sont appelés vitamine F par certains auteurs. Toutefois, ce ne sont pas des vitamines proprement dites.

Besoins

- 15 ml (1 c. à soupe) par jour d'une bonne huile pressée à froid. Le mieux est toutefois l'utilisation de noix, graines et leurs beurres.

EFFETS D'UNE ALIMENTATION TROP RICHE EN LIPIDES

...surtout en ce qui concerne les acides gras saturés et le cholestérol.

- Obésité, car les lipides libèrent plus du double de calories 9 Cal./g que les glucides et les protéines (4 Cal./g).
- Tout comme pour le cholestérol, on les associe à l'athéro-sclérose, l'artériosclérose et aux maladies cardiaques. (4)
- Les cancers du côlon, du sein et de l'endomètre de l'utérus sont reliés à une trop grande consommation de graisses animales.

% TOTAL DE LIPIDES

INGRÉDIENTS	% lipides	gras saturés	gras mono insaturés	gras poly insaturés
huile de carthame	100	8	15	72
huile de maïs	100	10	28	50
huile d'olive	100	11	76	7
huile de sésame	100	14	38	42
huile de soya	100	15	20	52
huile de tournesol	100	12	27	61
margarine	81	23	38	36
beurre	81	57	34	2
chocolat	53	57	38	2
graines de tournesol	47	13	19	63
graines de sésame entières	49	14	39	43
arachides	50	19	46	30
fromage (moyenne)	25	62	28	3
crème 35%	35	62	29	4
oeuf entier	11	30	40	12
jaune d'oeuf	34	30	40	12
lait	3,5	63	29	4
fèves soya	18	17	23	51
tofu	4	24	24	48

* Ce tableau est tiré du livre Laurel's Kitchen - Bantam, 1978.

NOTE: La surconsommation de la viande et des sous-produits animaux riches en gras saturés et cholestérol porte à réfléchir et à changer nos habitudes alimentaires dès maintenant. Noter la forte teneur en gras polyinsaturés des produits du règne végétal; de plus, ils ne contiennent pas de cholestérol.

C. Cholestérol

- Il existe déjà dans l'organisme (cerveau, foie, sang...).
- Il est synthétisé par le foie.
- Il est de source animale exclusivement, les végétaux ne contiennent pas de cholestérol.
- Un excès de cholestérol est associé au développement de l'artériosclérose (durcissement des artères) et de l'athérosclérose (épaississement de la paroi des artères).

Rôle:

- Il fait partie de la membrane des cellules et de certains tissus.
- Le cholestérol est un des constituants de la bile qui sert à diviser les graisses en fines gouttelettes lors de leur digestion dans le petit intestin.
- Il sert à la formation de la vitamine D et des hormones sexuelles.

Besoin:

- Le foie fabrique jusqu'à 1000 mg (1 g) de cholestérol par jour pour satisfaire aux besoins du corps.
- Il n'est pas nécessaire d'en consommer; une consommation maximale de 300 mg/jour est toutefois tolérée (un seul gros jaune d'oeuf en contient 252 mg).

Sources:

- Très forte teneur dans les abats (foie, cervelle, rognon, etc.). Le jaune d'oeuf, les huîtres, les oeufs de poisson et en moins grande quantité dans les produits laitiers.

NOTE: Prévenons les désordres cardiaques et circulatoires en remplaçant les acides gras saturés par des acides polyinsaturés qui abaissent le taux de cholestérol. En diminuant sensiblement notre consommation de produits d'origine animale on diminue par le fait même les désordres dus au cholestérol.

D. Lécithine

Rôle:

- Fait partie de la membrane des cellules et des tissus nerveux.
- Émulsionne les graisses dans le tube digestif et la circulation sanguine.
- Favorise la circulation des lipides dans le sang. (5)

Sources:

- fèves soya, jaune d'oeuf, pousses de sarrasin, graines de sésame, grains entiers.

CHOLESTÉROL DANS LES ALIMENTS COURANTS

ALIMENTS	QUANTITÉ	CHOLESTÉROL
foie de boeuf	3 onces	372 mg
rognons de boeuf	3 onces	315 mg
saucisses à hot dog	2 onces	112 mg
porc (maigre)	3 onces	75 mg
veau (maigre)	3 onces	84 mg
1 oeuf (jaune)	1 gros	252 mg
poulet blanc	3 onces	65 mg
crevettes en conserve	3 onces	128 mg
beurre	1 c. à soupe	35 mg
fromage à la crème	1 once	31 mg
fromage dur	1 once	24 à 28 mg
crème glacée	1/2 tasse	27 mg
lait entier	1 tasse	34 mg

...LE RÈGNE VÉGÉTAL NE CONTIENT PAS DE CHOLESTÉROL.

*Source: analyse du département de l'agriculture des États-Unis.

3. Protéines

DÉFINITION:

- Les protéines (dérivé du mot grec **prôtos** qui signifie "premier") sont de grosses molécules formées de plus petites molécules appelées acides aminés.

- Elles sont constituées de 4 éléments, le CHON: carbone C, l'hydrogène H, l'oxygène O et l'azote N (de l'anglais nitrogen).

- Elles peuvent aussi renfermer d'autres éléments comme le soufre et le phosphore, selon leur nature.

- Les protéines sont digérées à partir de l'estomac et dans le petit intestin où elles sont absorbées sous forme d'acides aminés.

- Lors de leur combustion (métabolisme), les protéines libèrent 4 Cal./g ou 17 kilojoules/gramme (système métrique).

RÔLE:

- Servent à la construction, à l'entretien et à la réparation des cellules: croissance, pousse des cheveux et des ongles, renouvellement des cellules, réparation des tissus lors de blessure.

- Les enzymes, anticorps et certaines hormones sont des protéines.

Voici quelques exemples de protéines de notre corps:

- **l'immunoglobuline** (anticorps)
- **l'hémoglobine** (transporteur d'oxygène dans le sang).
- **la mélanine** (pigment de la peau)
- **l'albumine** (présente dans les liquides et tissus)
- **l'insuline** (hormone sécrétée par le pancréas)
- **la kératine** (substance qui constitue les poils et les ongles)
- **la pepsine** (enzyme digestive de l'estomac)
- **la trypsine** (enzyme digestive du pancréas)

SOURCES: (6)

origine végétale		origine animale	
légumineuses	**20-30%**	fromage	**24%**
noix et graines	**15%**	rôti de boeuf	**24%**
céréales	**10-15%**	viande	**20%**
pain	**7%**	poissons	**16%**
algues séchées	**7%** (kombu)	oeufs	**13%**
	20-30% (dulse)		
	35% (nori)		

Ration quotidienne: en moyenne un adulte a besoin de 0,8 g de protéines par kilo de poids idéal. (7)

- en période de croissance, pendant la grossesse ou la lactation, ou encore à la suite de blessures les besoins en protéines et en acides aminés essentiels augmentent.

- l'organisme **ne fait pas de réserves** de protéines. C'est pourquoi il faut en manger chaque jour;

- les protéines animales sont des protéines complètes, c.-à-d. qu'elles contiennent tous les acides aminés essentiels;

- les protéines végétales se complètent entre elles. Voir le chapitre sur la complémentarité des protéines.

SAVIEZ-VOUS QUE:

- L'exercice ou le travail physique intense n'augmente pas notre besoin en protéines sauf lorsque le but de ces exercices est d'augmenter la masse musculaire (body building). Il s'agit avant tout d'assurer de couvrir nos besoins calorifiques en consommant **plus de glucides** (amidon).

Il est essentiel de bien choisir nos sources de calories.

% DE CALORIES PROVENANT

Source animale	DES:	
ALIMENTS (8)	**PROTÉINES**	**GRAS** (la plupart saturés + cholestérol)
T-Bone	20	80
fromage	25	75
lait entier	21	48
thon	34	64
filet de sole	90	10

Source végétale	DES:	
ALIMENTS (8)	**PROTÉINES**	**GLUCIDES** (amidon)
fèves rouges	25	70
blé entier	16	80
avoine	15	70

- La viande consommée comme source de protéines renferme beaucoup de "gras caché", quelques vitamines et minéraux et pas de fibres.
- Les légumineuses et les céréales s'avèrent être d'excellentes sources de protéines, bien pourvues en glucides, vitamines, minéraux, fibres. **Le choix est logique!**

Pourquoi ne pas les utiliser davantage?

- L'économie réalisée en achetant des protéines végétales plutôt qu'animales permet de se procurer davantage de légumes et de fruits frais.

- La surconsommation de viande (excès de protéines, d'acides gras saturés et de cholestérol) et de sucre est étroitement liée à l'escalade des maladies contemporaines comme le cancer, les troubles cardio-vasculaires, l'hypertension, le diabète, l'obésité, les maladies rénales, etc.

- **Des aspects écologiques, politiques et humanitaires très néfastes pour l'ensemble de la planète sont entraînés par les habitudes alimentaires du monde industrialisé:**

  - utilisation des sols cultivables pour l'entretien du bétail: les deux tiers de la production céréalière des États-Unis sert à alimenter le bétail;

  - gaspillage des sources de protéines: la production d'une livre de boeuf requiert seize livres de grain et de soya;

  - méthode de production énergivore (machinerie, transport, etc.)

  - les cultures d'exportation sont contrôlées par de grosses compagnies étrangères dans les pays où la population est sous-alimentée. Du soya pour le ''bétail'' américain, du sucre et du café au détriment des cultures vivrières locales qui pourraient assurer l'alimentation des ''peuples'' de ces pays.

- On estime qu'en Amérique du Nord, chaque personne consomme, chaque jour, deux fois plus de protéines qu'elle en a besoin.

Chaque individu consomme donc en moyenne 140 kg de viande et de produits laitiers par année. Dans les pays sous-développés, on en consomme à peine 1 kg par an!! (9)

Au cours de sa vie (70 ans) un nord-américain au régime carné consommera 12 vaches, 29 cochons, 2 moutons, 1 veau, 37 dindes, 984 poulets et 910 lb de poissons!

EFFETS D'UNE ALIMENTATION TROP RICHE EN PROTÉINES:

- Surcharge du foie qui doit les transformer, des reins et des intestins qui doivent éliminer les déchets azotés.

- Intoxication du sang et des cellules: se chargent d'acide urique (déchet azoté) des acides aminés.

- Encrassement du gros intestin, si trop de protéines non digérées.

- Obésité, si trop de calories sont disponibles, une partie de l'excédent se transforme en graisse et est mise en réserve.

- Une surconsommation de protéines entraîne une augmentation de l'excrétion du calcium par les reins vers l'urine, ce qui peut favoriser la formation de calculs rénaux. De plus, la perte de calcium osseux favorise l'ostéoporose (osporeux). (10)

En résumé, une diète composée de protéines végétales (céréales, légumineuses, noix et graines) conserve à notre organisme la santé des reins, du foie et des os.

À PROPOS DES BESOINS ÉNERGÉTIQUES-CALORIES

- La **quantité** et la **qualité** de notre énergie sont intimement liées à celles de la nourriture (carburant) et de la combustion (oxygène: respiration, exercice).

$$\text{CARBURANT} + O_2 \xrightarrow[\text{métabolisme}]{\text{combustion}} CO_2 + H_2O + \text{ÉNERGIE}$$

nourriture + oxygène   Gaz + eau + mesurée
                          carbonique   en calorie

- Les glucides (4 Cal./g), les lipides (9 Cal./g) et les protéines (4 Cal./g) des aliments fournissent de l'énergie à l'organisme. Les vitamines et minéraux essentiels à la santé ne procurent pas d'énergie.

L'énergie:

- assure le métabolisme basal
- maintient la température corporelle
- permet le travail musculaire nerveux et cérébral
- assure la croissance

- Nous avons toujours utilisé le terme Calorie (kilocalorie) pour mesurer l'énergie (système britannique). Aujourd'hui nous utilisons dans la littérature le terme kilojoule (système métrique).

  1 kilocalorie = 1 000 calories = 1 Calorie (grande calorie) = 4,14 kilojoules.

- Les besoins énergétiques varient en fonction de la surface corporelle, du poids, de l'âge, du taux de croissance, du sexe, du mode de vie, du climat et surtout des activités physiques. D'où l'importance d'ajuster nos repas à notre réalité.

- De 25 à 50 ans, on recommande 1 900 calories (8 000 kilojoules) par jour pour une femme et 2 700 calories (11 200 kilojoules) pour un homme.[11]

- Si on consomme trop de calories l'**excédent** sera converti en **graisse**, peu importe que ces calories proviennent de glucides, de lipides ou de protéines.

- **Pour maintenir notre poids, la consommation d'aliments (calories) doit égaler les dépenses d'énergie: un principe simple, n'est-ce pas?**

4. Eau

L'eau est indispensable à la **vie**.

Notre corps contient environ 65% d'eau.

RÔLE:

- Constituant essentiel des liquides corporels: sang, lymphe, sécrétions des tissus. Fait partie de tous les tissus.

- Aide le corps à régulariser sa température (perspiration, transpiration, respiration).

- Essentielle au transport des éléments nutritifs et des déchets cellulaires.

- Favorise l'excrétion des déchets par les reins*, la peau, les poumons, l'intestin.

  *Les milliers de filtres dont les reins sont pourvus fonctionnent à **l'eau**.

- Améliore la qualité des tissus dont ceux de la peau.
- Combat la fatigue, les maux de tête, la faim.

BESOIN:
- Chaque jour on élimine en moyenne 2 litres d'eau (poumons, peau, intestins, reins... glandes lacrymales).
- Il faut **remplacer ces pertes**; par conséquent, on doit boire 6-8 grands verres d'eau par jour.

SOURCES:
- L'eau de source pure.
- L'eau contenue dans les aliments.

QUAND BOIRE:
- Au moins 15 minutes **avant** les repas.
- Boire au moins 2 heures après les repas.
- Répartir la consommation d'eau sur toute la journée: au lever, avant et entre les repas, au coucher.

REDÉCOUVRONS LE PLAISIR DE BOIRE DE L'EAU, C'EST UNE QUESTION DE SANTÉ!

5. Vitamines

- Les vitamines sont des molécules dont on a besoin en quantité infime et qui sont indispensables pour assurer le bon fonctionnement de l'organisme.
- Comme les vitamines ne peuvent être synthétisées par l'organisme, sauf la vitamine D lors de l'ensoleillement; il faut donc les lui fournir par l'alimentation.

NOTE: Les bactéries d'une flore intestinale **saine** peuvent synthétiser jusqu'à un certain point les vitamines B (la folacine et la vitamine B_{12}) et K.

- Les vitamines sont classées en 2 groupes: **les hydrosolubles, c.-à-d. solubles dans l'eau (B, C), les liposolubles, c.-à-d. solubles dans les lipides (A, D, E, K).**

VITAMINES	PRINCIPAUX RÔLES
COMPLEXE B (8) B_1 thiamine B_2 riboflavine B_3 (PP) niacine B_5 acide panto- thénique B_6 pyridoxine Biotine Acide folique (fola- cine) B_{12} cobalamine HYDROSOLUBLES	**Elles agissent en collaboration:** - libèrent l'énergie des glucides; - essentielles à la croissance et à la santé de la peau et des yeux; - aident au bon fonctionnement du système nerveux; - permettent la synthèse du matériel génétique; - participent à la formation des globules rouges et à la fixation du fer dans l'hémoglobine
VITAMINE C (acide ascorbique) HYDROSOLUBLES	- indispensable à la croissance; - agit dans la formation des os et des dents; - favorise la guérison des blessures; - augmente la résistance aux infections; - favorise l'absorption du fer.
Règne animal: **VITAMINE A** (rétinol) Règne végétal: **PROVITAMINE A** (carotène) LIPOSOLUBLES	- favorise la santé de la peau, des cheveux et des muqueuses; facilite la vision dans l'obscurité; - essentielle à la croissance du squelette, à la formation des dents et à la reproduction
VITAMINE D (calciférol) LIPOSOLUBLES	- essentielle à la croissance et à la santé des os et des dents. - favorise l'absorption du calcium et du phosphore.
VITAMINE E (tocophérol) LIPOSOLUBLES	- Un antioxydant, prévient l'oxydation des acides gras polyinsaturés; - participe à la formation des globules rouges, des muscles et autres tissus.'
VITAMINE K LIPOSOLUBLES	- essentielle à la coagulation du sang; - participe au maintien de la santé des os.

- levure de bière et alimentaire (B_1 et B_2)
- céréales entières (son et germe) et pain complet
- légumineuses
- légumes verts
- germes
- produits laitiers (B_2 - B_{12})
- tempeh (B_{12})

NOTE: la vitamine B_1, l'acide folique et la B_{12} peuvent être synthétisées par une flore intestinale saine.

- le tempeh contient de la vitamine B_{12} seulement si la bactérie Klebsiella est présente lors de la fermentation. Lire des étiquettes.

- poivrons rouges
- végétaux verts: brocoli, persil
- fruits acides et leurs jus
- baies

NOTE: 1 cigarette détruit 25 mg de vit. C.

- légumes très colorés jaunes et verts
- fruits jaunes
- jaune d'oeuf
- produits laitiers

- rayons ultra-violets du soleil
- lait enrichi
- jaune d'oeuf

- germe de blé et son huile
- noix et graines et leurs huiles
- céréales entières et pain
- grains germés (blé)
- jaune d'oeuf, beurre

- légumes verts feuillus
- jaune d'oeuf
- huile de soya

NOTE: la vitamine K est synthétisée par la flore intestinale.

VITAMINES

RÔLE:

- Les vitamines sont spécifiques: chacune joue un rôle particulier.
- Elles ne sont ni une source de calories, ni un matériau de construction mais des régulateurs très précis du fonctionnement de l'organisme.
- Permettent à certaines réactions de se produire; (ex.: la vitamine D permet l'absorption du calcium, la vitamine C favorise l'utilisation du fer).
- Jouent un rôle essentiel dans la croissance et la défense de l'organisme.

SOURCES:

Une alimentation variée et abondante en aliments d'origine végétale (céréales, légumineuses, noix, graines, fruits et légumes) couvre tous nos besoins vitaminiques.

Cependant, des déficiences sont de plus en plus fréquentes à cause:

- Des cueillettes avant maturité.
- Des méthodes d'entreposage et de sa durée.
- Du raffinage, de la transformation et de la cuisson des aliments.
- D'un régime trop carné et sucré, etc.

Les suppléments vitaminiques naturels ne sauraient corriger à eux seuls une déficience vitaminique. Un excès de ces comprimés peut être préjudiciable à la santé surtout en ce qui concerne les vitamines liposolubles que l'organisme peut mettre en réserve.

Mangeons plutôt des aliments vivants entiers, variés et de culture **BIOlogique**. Éliminons les aliments raffinés, transformés et en conserves.

SAVIEZ-VOUS QUE:

- La vitamine A, soluble dans les lipides, existe uniquement dans le règne animal. Dans le règne végétal on trouve cependant la provitamine A dans les pigments orangés du carotène et l'organisme la transforme en vitamine A. Dans les végétaux verts, la chlorophylle masque la carotène.

- Les légumes verts comme les épinards, les brocolis, les poivrons, les choux et le persil ainsi que les légumes jaunes tels que les carottes, les citrouilles, les patates douces et les poivrons rouges sont d'excellentes sources de vitamines **A et C** et de fer. Plus la couleur est intense, plus il y a de vitamines.

- Les vitamines hydrosolubles, B et C (sauf la B_{12}) ne sont pas mises en réserve dans le corps. Il faut donc en fournir quotidiennement à l'organisme par l'alimentation.

- Les vitamines liposolubles (A et D) sont mises en réserve principalement dans le foie.

- La meilleure source de vitamine D est, sans contredit, l'ensoleillement. Sortons le plus souvent possible. L'hiver s'exposer le visage et les mains.

- La consommation de sucre dépourvu de vitamines B en augmente nos besoins: pas d'apport et un besoin accru...

- Les vitamines du complexe B agissent en interdépendance les unes avec les autres. Prendre des suppléments d'une seule des vitamines du groupe B peut créer un déséquilibre. Il est préférable de manger des céréales complètes.

- Les pommes de terre cuites en entier et avec la pelure conservent 89% de leur vitamine C; si on les coupe en deux, elles n'en conservent plus que 31%; et, plus on les coupe, plus la perte en vitamine augmente. (12)

- Pour éviter les pertes excessives de vitamines, décongeler les aliments au réfrigérateur et non sur le comptoir.

- La vitamine C s'oxyde facilement. Il est donc préférable de couper les légumes avec couteaux et râpes en acier inoxydable et ce, à la dernière minute, de couvrir les salades et les jus et de manger le plus frais possible. Les vitamines B_1 (thiamine) et A sont également sensibles à l'oxydation.

- Les vitamines B et C (hydrosolubles) sont plus sensibles à la chaleur, la cuisson et la durée de l'entreposage que les vitamines liposolubles. Évitons de tremper et de cuire les légumes à l'eau.

- Exposées à la lumière, certaines vitamines (A, B_2 ou riboflavine, K) perdent leurs propriétés: ex.: le lait et le pain doivent être conservés dans des contenants opaques.

CONSERVATION DES VITAMINES

VITAMINE	APPORT RECOMMAN-DÉ - Adulte 25 à 50 ans par jour	STABLE	SENSIBLE À	DÉTRUITE	
Vitamine C (la plus fragile)	Femme - Homme 45 - 60 mg	Congélation Acidité	Entreposage	Air, chaleur, cuisson, alcalinité, fer et cuivre de chaudrons, eau, lumière, 1 cigarette détruit 25 mg, le stress augmente le besoin.
Vitamines B Thiamine B_1 Riboflavine B_2 Niacine B_3 B_6 pyrodoxine acide folique B_{12}	0,5 - 1 mg 1 - 1,5 mg 10 - 13 mg 1,5 - 2 mg 165-210 mcg 2 mcg mg = milligramme mcg = microgramme	B_1: milieu acide, congélation, lumière B_2: chaleur, acidité B_3: la plus stable B_{12}: chaleur	B_6: lumière, chaleur, milieu alcalin B_{12}: acide, alcalinité, air	Air O_2, chaleur, cuisson, alcalinité, eau, caféine B_{12}: lumière
Vitamine A	800 - 1000 ER ou 4000 - 5000 UI ER = équivalent rétinol UI = unités internationales	Chaleur, cuisson, congélation		Air (O_2) température élevée, séchage, lumière
Vitamine D	400 UI	Chaleur, oxydation	Entreposage dans le lait en poudre	
Vitamine E	15 - 25 UI	Chaleur, milieu acide		Rancissement, alcalinité, air, lumière, fer, plomb, blanchiement aux peroxydes, (farines), congélation
Vitamine K		Chaleur	Oxydation	Alcalinité, rayons UV.

6. Minéraux et oligo-éléments

- Les minéraux se présentent généralement sous forme de sels.
- Le corps humain contient environ 4% de son poids en minéraux.
- Ils sont essentiels et se divisent comme suit:
  - ceux dont on a besoin en plus grande quantité: calcium (Ca), phosphore (P), magnésium (Mg), sodium (Na), potassium (K), chlore (Cl), soufre (S).
  - ceux dont on a besoin en quantité infime; on les appelle les oligo-éléments (voir tableau).
- **La nourriture doit fournir tous ces minéraux.**

RÔLE:

- Les rôles sont multiples et nous découvrons sans cesse des faits nouveaux sur les minéraux.
- Certains minéraux (sodium, chlore et potassium) maintiennent la teneur en eau de l'organisme.
- Ils neutralisent l'excès d'acidité: équilibre acido-basique.
- Ils agissent en interaction avec les vitamines afin de permettre certaines réactions de l'organisme.

  EN UN MOT, ON TRAVAILLE EN ÉQUIPE LÀ-DEDANS!

SAVIEZ-VOUS QUE:

- Le soleil ou vitamine D, l'exercice et le lactose aident à mieux assimiler le calcium. Les produits laitiers en sont la meilleure source. Si on les élimine de son régime, il faut trouver d'autre sources qui suffiront à combler les besoins de l'organisme.
- Lors des menstruations, la femme a besoin de plus de fer. C'est le moment rêvé pour manger davantage de pruneaux, savourer des salades vertes auxquelles on ajoute du persil, consommer des graines de citrouille et de tournesol et se fricoter de bons plats à base de légumineuses assaisonnés avec des algues.

SELS MINÉRAUX	PRINCIPAUX RÔLES
CALCIUM symbole chimique: Ca A.Q.R.: Apport quotidien recommandé: 700 - 800 mg	- minéral le plus abondant du corps: formation des os et des dents; - favorise un bon fonctionnement du système nerveux (détente, sommeil); - indispensable à la coagulation du sang et au tonus musculaire; - maintien du rythme cardiaque.
PHOSPHORE P A.Q.R.: 800-1200 mg	- aide à la formation des os et des dents - intervient dans la production de l'énergie
MAGNÉSIUM Mg A.Q.R.: 190-240 mg	- composant des os et dents; - résistance aux infections et au cancer - encourage l'activité péristaltique.
POTASSIUM K A.Q.R.: 2-4 g	- règle la teneur en eau des cellules (interne) - participation au contrôle du pH sanguin
SODIUM Na	- règle la teneur en eau de l'organisme - participe au contrôle du pH sanguin
CHLORE Cl	- tampon pour le pH sanguin - fait partie de l'acide chlorhydrique de l'estomac HCl.

- produits laitiers: poudre de lait, lait, yogourt, fromage
- beurre et graines de sésame entières
- légumes à feuilles vertes: brocoli, chou frisé
- amandes et noisettes
- tofu

*Sources pour les apports quotidiens recommandés: tableau d'apports nutritionnels pour les Canadiens 1983. Ici il s'agit de l'adulte d'âge moyen Femme - Homme.

- produits laitiers
- légumineuses
- céréales entières
- noix

- légumineuses (surtout soya)
- céréales entières
- noix (cajous, amandes), graines
- légumes verts foncés

- fruits frais et séchés
- légumes amidonnés
- légumes foncés
- légumineuses

- sel, tamari
- dulse, kelp (algues)
- fromage
- olives dans la saumure

- sel (NaCl)
- arachides, noisettes
- blanc d'oeuf
- légumes: brocoli, chou, persil, cresson, oignons

MINÉRAUX

OLIGO-ÉLÉMENTS	PRINCIPAUX RÔLES
FER symbole chimique Fe A.Q.R.: Apport quoti- dien recommandé: 14 mg (f) - 8 mg (h)	- essentiel à la formation de l'hémoglo- bine, cette partie constituante des globules rouges qui transporte l'oxygène et le gaz carbonique. - augmente la résistance au stress et à la maladie.
CUIVRE Cu A.Q.R.: 2 mg	- nécessaire à l'absorption du fer. - présent dans tous les tissus.
FLUOR F	- minéralisation des os et des dents
IODE I A.Q.R.: 160 mcg	- essentiel au bon fonctionnement de la glande thyroïde.
MANGANÈSE Mn A.Q.R.: 3 à 9 mg	- activeur d'enzymes - constituant des os - facilite la digestion
ZINC Zn A.Q.R.: 8 mg	- indispensable à la croissance et à la cicatrisation car favorise la formation des tissus. - essentiel au bon fonctionnement de la prostate et des organes reproducteurs
COBALT Co A.Q.R.: 3 à 5 mcg de vit. B_{12}.	- constituant de la vit. B_{12}. - essentiel au bon fonctionnement de toutes les cellules.

- jus de pruneaux
- légumineuses
- persil, légumes verts
- jaune d'oeuf
- fruits séchés
- graines
- céréales entières

- noix
- légumineuses
- céréales entières

- algues
- pelure de pommes de terre (13)
- légumes colorés
- eau

- algues
- végétaux (selon la teneur du sol en iode)

- légumes
- graines et noix
- fruits frais (pommes)
- céréales entières

- céréales entières
- légumineuses
- noix et graines
- oeuf entier
- levure

- graines
- végétaux
- germes

*Les oligo-éléments sont des minéraux dont on a besoin sous forme de trace.

Autres oligo-éléments: le **molybdène** (Mo), le **sélénium** (Se), le **chrome** (Cr), le **silicium** (Si), le **nickel** (Ni).

UNE ALIMENTATION **SAINE, VARIÉE**, AXÉE SUR LES PRO-
DUITS D'ORIGINE VÉGÉTALE, LES PRODUITS LAITIERS ET LES
OEUFS EST EN MESURE DE COUVRIR TOUS NOS BESOINS NUTRI-
TIONNELS.

- Les céréales entières, les légumineuses, les noix et les
graines, les produits laitiers et les oeufs nous fournissent les
acides aminés, les acides gras essentiels, le glucose, les
vitamines et minéraux, l'eau et les fibres dont nous avons
besoin.

- Les légumes et les fruits frais, les germes, les algues nous
apportent vitamines et minéraux, eau et fibres en abondance.

En définitive, plus notre nourriture se rapproche de la nature, plus la santé s'installe et se maintient.

Ce livre contient des valeurs nutritives des principaux
aliments composant un régime sain, quelques exemples
d'apports nutritionnels recommandés pour les Canadiens-nes
et publiés par le ministère de la Santé et de Bien-être social
du Canada, ainsi qu'un tableau des portions recommandées
pour un régime lacto-ovo végétarien.

RÉFLEXION

Quelle importance donner à tous ces chiffres? Une importance relative, car il ne faudrait pas que la planification des
menus devienne un casse-tête. Alors comment les aborder?

À propos des apports nutritionnels recommandés

Ces chiffres sont basés sur des estimations effectuées sur
un seul nutriment à la fois et ce, sur un sujet ou groupe particulier. Des moyennes et ajustements ont été apportés mais
tout cela demeure quand même très relatif, car chaque individu a ses PROPRES antécédents, son bagage héréditaire, sa
PROPRE capacité digestive et des situations de stress qui n'ap-
partiennent qu'à lui. Ces chiffres indiquent un seuil de nutriments nécessaires pour ne pas être carencé, plus une marge
de sécurité.

L'important, c'est d'observer son état et sa réalité, d'apprendre les principes de base d'une saine alimentation, de manger des aliments sains et variés et de s'ajuster.

N'oublions pas que tous les nutriments interagissent dans notre corps, véritable synergie; d'où l'importance, répétons-le, de manger des aliments variés, tels que la nature nous les offre, et d'éviter les produits transformés et traités.

À propos des tables de valeurs nutritives

Un guide et non une valeur absolue! Ces calculs peuvent varier considérablement selon:

- la teneur en minéraux des sols,
- la méthode d'agriculture employée,
- la variété choisie pour un aliment précis,
- les conditions climatiques,
- le moment de la récolte et le temps écoulé entre celle-ci et l'analyse, la méthode de cuisson, etc.

Plusieurs études viennent confirmer cette réalité. Le docteur Michael Colgan dans son livre intitulé ''Your Personal Vitamine Profile'' révèle que la teneur en vitamines de plusieurs aliments peut varier énormément par rapport à celle qui est indiquée dans les tables.

Ces tables nous indiquent donc les meilleures sources de nutriments et peuvent nous aider à équilibrer notre régime, si nécessaire.

- Il existe un lien direct entre la qualité des sols, les méthodes d'agriculture et la valeur nutritive. C'est pourquoi il est important d'exiger des produits cultivés **BIOlogiquement**.
- La conservation d'un produit, depuis sa récolte jusqu'au moment de le consommer est également importante. Voir le chapitre des légumes qui traite des aliments frais, entiers, biologiques!

Si toutes ces données vous intéressent, consulter:

—Caron-Lahaie, ''Valeurs nutritives des aliments'' - Université de Montréal.

—Bowes and Shurch, ''Guide usuel des valeurs nutritives''

—"Guide de nutrition": petit livret d'apports nutritionnels recommandés ainsi que l'information sur les besoins du corps - Bureau Laitier du Canada, révisé en 1984.

"ÊTRE À L'ÉCOUTE DE SON CORPS".

LES PORTIONS

Que représente une portion, combien de portions puis-je me permettre pour rencontrer mes besoins sans trop prendre de calories?... etc.

Voici donc sous forme de tableau, les exemples de portion par catégorie d'aliment pour un régime lacto-ovo végétarien.

Ces données quoique très intéressantes, ne doivent pas devenir une fin en soi. Être à l'écoute de ses besoins, de ses humeurs s'avère tout aussi important pour la composition de nos menus.

LES PORTIONS

CATÉGORIE D'ALIMENT	1 PORTION	PORTION RECOMMANDÉE PAR JOUR — ADULTE
Céréales entières ou en flocons	125 ml (1/2 tasse) cuite	5 à 7
Céréales prêtes à servir	175 ml (3/4 tasse)	
Tranche de pain, muffin	1	
Pâtes alimentaires	175 ml (3/4 tasse)	
Légumineuses	200-250 ml (3/4-1 tasse) cuites	1
Tofu	100 g (1/4 d'un bloc de 16 oz)	1/2 - enfants
Noix et graines	60 - 125 ml (1/4-1/2 tasse) enfants 15-45 ml (1-3 c.à s.)	1
Beurres de noix	30-45 ml (2-3 c. à s.)	
Légumes crus	125-175 ml (1/2-3/4 tasse)	au moins 3 incluant un légume vert foncé
Légumes feuilles	250 ml (1 tasse)	
Légumes cuits	125 ml (1/2 tasse)	
Légumes-racine moyens	1 (patate, carotte, oignon...)	
Fruits en salade	125 ml (1/2 tasse)	2 à 3
Fruits entiers	1	
Pamplemousse, cantaloup, avocat	1/2	
Fruits séchés	60 ml (1/4 tasse)	
Lait	250 ml (1 tasse)	2 à 3 enfants 3 à 4 adolescents, femmes enceintes, allaitantes 2 - adultes
Yogourt	175 ml (3/4 tasse)	
Fromage	45 g (cube de 1 1/2 po)	
Oeufs	1	1 à 4 (par semaine)
Huile végétale 1re pression	15 ml (1 c. à s.)	1

- Les portions recommandées doivent s'ajuster selon l'âge, le sexe, les activités.

CHAPITRE V

Le système digestif

Dans ce chapitre nous allons entreprendre un court voyage d'exploration et de découverte qui nous permettra de visualiser et de comprendre les mécanismes de la digestion.

Ceci nous aidera à comprendre les bienfaits des bonnes habitudes alimentaires sur notre santé.

"En général la transformation se fait plus harmonieusement et de manière plus durable lorsqu'elle est soustendue par la connaissance."

QU'EST-CE QUE LA DIGESTION?

- La digestion est l'ensemble des transformations que le système digestif fait subir aux aliments que nous consommons. Grâce à divers processus chimiques et mécaniques les aliments se désagrègent en fines particules qui pourront ainsi traverser la paroi du petit intestin pour passer dans le sang ou la lymphe.

- C'est la préparation des aliments à l'absorption.

- **Nous mangeons des aliments et absorbons des nutriments, grâce à la digestion.**

- C'est un phénomène de dégradation, de démolition. Le tube digestif remplit 2 fonctions: **la digestion et l'absorption.**

Digestion

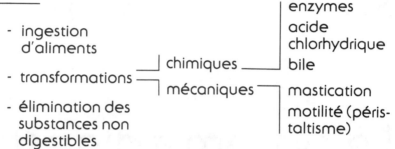

- ingestion d'aliments
- transformations ── chimiques ── enzymes / acide chlorhydrique / bile
  ── mécaniques ── mastication / motilité (péristaltisme)
- élimination des substances non digestibles

QUE COMPREND LE SYSTÈME DIGESTIF?

Système digestif:

- **tube digestif:** bouche, pharynx, oesophage, estomac, petit et gros intestins.

- **organes annexes:** glandes salivaires, foie et pancréas.

- D'une extrémité à l'autre le tube digestif mesure environ 9 mètres de long (25-30 pieds). Il commence à la bouche et se termine à l'anus.

- Les organes annexes sont reliés au tube digestif par des canaux.

- Les parois internes du tube digestif sont couvertes de mucus, afin de les protéger et de les humidifier.

- Les muscles qui longent le tube digestif se contractent pour faire avancer les aliments; c'est le péristaltisme.

LE SYSTÈME DIGESTIF

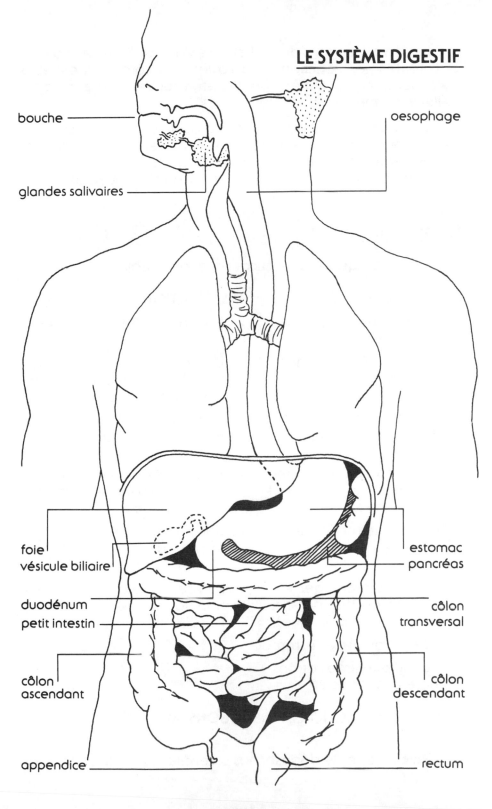

bouche

oesophage

glandes salivaires

foie
vésicule biliaire

estomac
pancréas

duodénum
petit intestin

côlon
transversal

côlon
ascendant

côlon
descendant

appendice

rectum

Les enzymes sont des substances qui facilitent et accélèrent toutes les réactions chimiques de l'organisme; elles s'occupent, entre autres, de transformer les aliments pour qu'ils deviennent assimilables.

En d'autres mots: les enzymes digestives agissent comme des couteaux qui coupent les grosses molécules de glucides, lipides, protéines en toutes petites particules capables de traverser la paroi du petit intestin pour passer dans le sang.

1. Bouche

C'est le siège de la mastication et de l'insalivation.

MASTICATION

- Broyage mécanique (seul acte digestif contrôlé)
- Essentielle à une bonne digestion
- Régularise la température (aliments, breuvage)
- Augmente la qualité des dents et gencives, élargit les mâchoires
- Permet une meilleure insalivation
- Permet de prolonger le plaisir de goûter (papilles gustatives de la langue)
- Aide le travail de l'estomac
- Détend et calme l'atmosphère des repas.

INSALIVATION

- Pour humidifier les aliments
- L'enzyme: amylase salivaire y digère partiellement l'amidon (cuit, trempé ou germé)

  Exercice: mastiquer longuement un morceau de pain, il deviendra sucré
- Jusqu'à 50% de l'amidon peut être digéré si la masti- est **profonde**
- Boire en mangeant, manger trop chaud, épicé, froid, salé nuit à l'insalivation
- La vue, l'odorat, la mastication, la pensée favorisent l'insalivation

OR DONC, MASTIQUONS, **MASTIQUONS**, MASTIQUONS, **MASTI...**

On conseille de déposer nos ustensiles entre chaque bouchée! Se concentrer sur le goût, la texture, les couleurs... se détendre.

*Un aliment bien mastiqué et bien insalivé est à moitié digé-ré, et n'oublions pas que tout ce que nous avalons doit être liquide!

NOTE: La digestion commence dans la bouche. Son processus entier sera influencé par cette étape d'où l'importance d'une mastication prolongée. **Offrons-nous le luxe de manger lente-ment et de déguster.** Nous mangeons souvent trop vite, sur-tout nos mets préférés: une habitude qui nous prive du plaisir de les goûter!

2. Pharynx

- Carrefour qui communique avec le nez, la bouche, l'oreil-le, les poumons.
- Il est important d'avaler la nourriture bien mastiquée et in-salivée, calmement et en silence afin d'éviter que les ali-ments prennent le mauvais conduit.

3. Oesophage

- Tube d'environ 30 cm (1 pied) de long reliant le pharynx à l'estomac.

4. Estomac

- Ce réservoir musculeux est un véritable malaxeur.
- Situé dans la partie gauche de la cavité abdominale, sous le diaphragme.
- Ressemble à un sac plissé d'environ 25 cm de profondeur, en forme de J et qui peut s'agrandir selon la quantité d'aliments avalés.

- Le brassage permet au bol alimentaire de se mélanger aux sécrétions gastriques (acide chlorhydrique + enzymes) pour devenir le chyme.

- La digestion des protéines débute dans l'estomac, milieu très acide.

- Les températures extrêmes nuisent à l'action des enzymes qui s'activent entre 38-43°C (100-110°F).

- Le processus de digestion stomacale dure de 3 à 8 heures.

- Boire en mangeant ou tout de suite après dilue, puis évacue les sécrétions gastriques. Il faut donc boire 15 minutes avant le repas ou au moins 2 heures après.

NOTE: Pour s'aider à perdre l'habitude de boire en mangeant ou tout de suite après le repas:

- Essayer de visualiser ses enzymes qui se diluent et disparaissent avec le liquide avalé. Dommage pour la qualité de la digestion!

- Manger moins salé et moins sucré et si tel est le cas; se rincer généreusement la bouche à l'eau et prendre une petite gorgée si nécessaire. La soif disparaîtra.

- Intégrer salades et légumes au repas (bonne teneur en eau) calme la soif.

*Le lait échappe à cette règle car il coagule aussitôt arrivé dans l'estomac. Pris avant le repas, le lait hypothèque l'appétit car il est nourrissant. Même phénomène lorsqu'il est pris pendant le repas; en outre, cela perpétue l'habitude de boire en mangeant. Il peut donc être pris après le repas ou en collation.

5. Petit intestin ou intestin grêle

- Siège principal de la digestion et de l'absorption.

- Le duodénum (première partie du petit intestin) reçoit le chyme lentement.

- La plus longue partie du tube digestif (3 à 5 mètres) formée d'une quinzaine d'anses.

- Le chyme y devient le chyle et séjourne environ 4 heures.

RÔLE:

DIGESTION

La digestion est assurée
par:
- les enzymes du pancréas
- la bile (émulsionne les
graisses)
- les enzymes intestinales

ABSORPTION

Les nutriments absorbés
sont:
- sucres simples (glucose)
- acides aminés
- acides gras et glycérol
- vitamines
- minéraux

NOTE: Afin d'accroître et de faciliter la capacité d'absorption, l'intestin grêle est long et recouvert de saillies en forme de minuscules doigts de velours qu'on appelle **villosités**, celles-ci sont également recouvertes de petites brosses, **les micro-villosités**. Ce merveilleux phénomène multiplie par six cents la surface d'absorption qui devient aussi vaste qu'un court de tennis(1)

6. Gros intestin

- Mesure environ 1,5 m.
- Comprend les côlons ascendant (à droite), transversal et descendant (à gauche) et le rectum qui se termine par l'anus.
- Ne contient pas d'enzymes mais plutôt des micro-organismes constituant la flore intestinale.
- Le chyle y séjourne entre 16 et 20 heures... et plus longtemps encore si le régime alimentaire ne contient pas de fibres.

RÔLE:

1- **Formation**   fibres non digérées
                                          eau non absorbée

            des selles constituées de

2- **Élimination**   bactéries de
                                         fermentation et de
                                         putréfaction

3- **Absorption** de l'eau et de quelques minéraux.

NOTES:

En Amérique du Nord, il existe plus de 700 produits laxatifs. C'est significatif. La constipation est un empoisonnement à long terme qui engendre de graves problèmes. La solution n'est pourtant pas compliquée:

- manger des aliments entiers, des fruits et des légumes pour les fibres,
- boire beaucoup d'eau,
- prendre le "temps" de s'arrêter pour éliminer, lorsque le besoin se fait sentir,
- marcher.

À propos de la flore intestinale

- Elle se concentre dans le côlon ascendant et contient des milliers de bactéries ainsi que d'autres micro-organismes.

- Cette flore bactérienne combat la putréfaction et augmente notre taux d'immunité contre les infections de toutes sortes.

- Elle synthétise des vitamines comme la vitamine K et certaines vitamines du groupe B (B_1, acide folique, B_{12}).

- Les antibiotiques et les produits chimiques l'altèrent grandement.

- Le yogourt, les produits lacto-fermentés, le rejuvelac de même que les fibres entretiennent une flore intestinale normale et peuvent aider à la reconstituer.

- Un excès de nourriture amène des aliments non transformés jusqu'au gros intestin ce qui favorise la putréfaction spécialement si ceux-ci ne contiennent pas de fibres.

NOTE: Pour éviter d'avoir toujours faim, il faut manger des aliments nutritifs qui fournissent à l'organisme du glucose (carburant) de façon continue (céréales entières, pain complet, légumineuses) ainsi que tous les autres nutriments essentiels à la santé.

EN RÉSUMÉ

Bouche: digestion de l'amidon cuit (50% si la mastication est profonde).

Estomac: début de digestion des protéines.

Petit intestin: digestion et absorption des sucres simples; les sucres doubles et composés (amidon) doivent d'abord être simplifiés avant d'être absorbés;
- fin de digestion des protéines et absorption des acides aminés;
- digestion des lipides et absorption des acides gras et glycérol;
- absorption des vitamines, des minéraux.

Gros intestin: formation et élimination des selles. Absorption de l'eau.

Comment notre corps utilise-t-il les aliments que nous consommons?

1. Nous "mastiquons" une gamme variée d'aliments.
2. Les grosses molécules des aliments sont transformées en petites molécules (nutriments) par le système digestif afin de traverser la paroi du petit intestin vers le sang: c'est la digestion et l'absorption.
3. Les nutriments s'acheminent vers le foie (cet organe irremplaçable) qui trie, transforme et redistribue les nutriments vers chacune de nos cellules via la circulation sanguine.
4. Les cellules utilisent ces nutriments (glucose, acides gras et glycérol, acides aminés) pour fabriquer leurs propres molécules ou obtenir énergie et chaleur.

DIGESTION — ABSORPTION

RÔLES	ALIMENTS INGÉRÉS CONSTITUÉS DE:	SOURCES	DIGÉRÉS PAR:	OÙ?	NUTRIMENTS ABSORBÉS SOUS FORME DE:
Carburant Énergie 4 Cal./g	Glucides	sucre naturel (fruits et légumes) sucre, mélasse amidon (céréales et légumineuses)	ENZYMES	Petit intestin bouche et petit intestin	Glucose
Chaleur Réserve Énergétique 9 Cal./g	Lipides ou graisses	noix et graines huiles beurres de noix fruits (avocat) viandes oeufs beurre - crème fromage	BILE ENZYMES	Petit intestin	Acides gras et glycérol
Croissance Entretien 4 Cal./g	Protéines	légumineuses noix et graines céréales algues produits laitiers viandes poissons oeufs	ENZYMES	Estomac et petit intestin	Acides aminés

et la... MASTICATION... y est primordiale!!!

CHAPITRE VI

Complémentarité de protéines

OBJECTIF

Acquérir les connaissances de base et suffisamment de confiance pour être capable d'utiliser les protéines végétales à leur maximum.

RÔLE

Les protéines ou matières azotées assurent la croissance et l'entretien du corps (construction, réparation). Elles entrent dans la composition des hormones, des enzymes, des muscles et de tous les tissus de l'organisme.

BESOIN

0,8 g/1 kg de poids idéal. Ex.: Une personne pesant 50 kg aura besoin de (50 kg x 0,8) 40 g de protéines par jour.

COMPOSITION

Les protéines absorbées sont composées de 22 acides aminés. Parmi ceux-ci, il existe 8 acides aminés essentiels qui ne peuvent être synthétisés (fabriqués) par l'organisme; il faut donc les fournir à l'organisme par notre alimentation.

Les acides aminés essentiels (A.A.E.) sont:

Isoleucine	Phénylalanine
Leucine	Thréonine
Lysine	Tryptophane
Méthionine (soufre)	Valine

Pour que les A.A.E. soient utilisés de façon optimale par notre organisme, il faut:

1. Les consommer SIMULTANÉMENT au cours d'un seul et même repas; à moins que vous ne preniez de fréquents petits repas (à toutes les 3 heures).

2. Consommer des calories en quantité suffisante (glucides, lipides); sinon, les protéines seront utilisées comme source d'énergie plutôt que de servir à la croissance ou à la réparation des cellules.

SOURCES

- En général, les gens consomment le double et souvent même davantage de leur besoin quotidien en protéines. Ceci vaut pour les pays industrialisés, bien sûr; ailleurs, c'est une autre réalité. La majeure partie de ces protéines sont d'origine animale.

- Pour être complète, une protéine doit posséder les 8 A.A.E. dans les bonnes proportions.

- Les protéines d'origine animale sont complètes. Celles d'origine végétale doivent être complétées.

- **Sources végétales:** légumineuses, céréales, noix et graines, légumes, algues.

- **Sources animales:** fromage, viande, poissons, oeufs.

COMPLÉMENTARITÉ

- Les protéines végétales peuvent être déficientes en certains acides aminés essentiels.

- Cette déficience réduit la possibilité d'utilisation des autres acides aminés présents.

• Donc, lorsqu'un des acides aminés essentiels est en quantité insuffisante, il diminue la qualité de l'ensemble de la protéine:

Si un aliment contient 7 des 8 acides aminés essentiels à 100% et que le 8e est présent à seulement 30%, le corps n'utilisera que 30% de la protéine, soit la valeur de l'acide aminé le plus faible. "Une chaîne a la force de son maillon le plus faible!"

C'est très simple de remédier à cela; il suffit de compléter avec un aliment qui contient l'acide aminé déficient ou limitant, ce qui permet une utilisation maximale de la protéine.

Pour bien comprendre la complémentarité de protéines voici un petit tableau qui illustre bien pourquoi on utilise tel aliment avec tel autre pour le compléter.

ALIMENTS	RICHES	PAUVRES
LÉGUMINEUSES	lysine	méthionine
CÉRÉALES	méthionine	lysine
NOIX, GRAINES	tryptophane	lysine
PRODUITS LAITIERS	lysine	

Il est évident que si nous mangeons des céréales avec des légumineuses ou des produits laitiers, de même que des légumineuses avec des noix ou des graines, nous obtiendrons des protéines complètes.

1. Céréales + légumineuses = protéine complète

RICHES EN MÉTHIONINE PAUVRES EN LYSINE **+** RICHES EN LYSINE PAUVRES EN MÉTHIONINE **=** SE COMPLÈTENT

Tous les peuples ont depuis longtemps compris la complémentarité et leurs mets traditionnels en témoignent:

- riz + lentilles (Indes)
- riz + fèves noires (Amérique du Sud)
- maïs + fèves rouges (Mexique)
- boulghour + pois chiches (Moyen-Orient)
- pain + soupe aux pois (Québec)
- pain + fèves au lard (Québec)
- riz + tofu (Japon)

Autres combinaisons simples:

- farine de blé + farine de soya
- millet + fèves soya
- orge + fèves de Lima

NOTE: Lorsqu'on prend l'habitude de faire cuire les légumineuses d'avance et en grande quantité, on en a toujours sous la main pour compléter les protéines des céréales en un rien de temps.

2. Légumineuses + noix ou graines = protéine complète

RICHES EN LYSINE
PAUVRES EN TRYPTOPHANE
+
RICHES EN TRYPTOPHANE
PAUVRES EN LYSINE
= SE COMPLÈTENT

Exemples: fèves soya   +   graines de sésame
lentilles   +   noix de Grenoble

3. Céréales + produits laitiers = protéine complète

PAUVRES EN LYSINE
+
RICHES EN LYSINE
= SE COMPLÈTENT

Exemples: farine   +   poudre de lait

plat principal à base de céréales　+
légumes verts　+　yogourt

gruau　+　lait ou yogourt

pâtes gratinées

pain　+　fromage

EN RÉSUMÉ:

CÉRÉALES　+　LÉGUMINEUSES
LÉGUMINEUSES　+　NOIX OU GRAINES　=　**PROTÉINE COMPLÈTE**
CÉRÉALES　+　PRODUITS LAITIERS

Il existe aussi d'autres possibilités pour compléter la qualité de la protéine:

- Les produits laitiers et les oeufs étant des protéines complètes, chaque fois qu'on les associe à n'importe quelle protéine végétale on obtient nécessairement une protéine complète.
- La levure alimentaire, surtout avec les céréales.
- Les légumes verts avec les céréales.

Les protéines contenues dans un plat composé de 70 à 80% de céréales entières et de 20 à 30% de légumineuses seront utilisées à leur maximum.

À PROPOS DE LA COMPLÉMENTARITÉ

Doit-on compléter nos protéines à l'intérieur d'un repas? Cette question soulève beaucoup de débats. Selon les dernières recherches entreprises par Frances Moore Lappé et décrites dans la dernière édition de son livre "Diet for a Small Planet", OUI, à moins que nous mangions plus de 3 repas par jour. En fait, on doit compléter les acides aminés essentiels en-dedans de 3 à 4 heures s'il y a lieu, le corps ne faisant pas de réserve d'acide aminé pour plus longtemps.

Attention, la complémentarité des protéines ne doit pas devenir une obsession ou une gymnastique pénible. Lorsque notre menu est composé d'aliments variés et nutritifs, nos protéines se complètent tout naturellement.

Les femmes enceintes, celles qui allaitent, ceux-celles qui ne consomment aucun produit du règne animal ainsi que les blessé-e-s qui ont des tissus à réparer devront toutefois être plus vigilants en ce qui concerne la complémentarité.

Matière à réflexion

- De nos jours, la surconsommation de viande dilapide notre capital santé. Diminuer sa consommation de viande en intégrant davantage de protéines végétales est avantageux non seulement pour l'individu, mais également pour toute la planète.

- Le Journal de l'Association médicale américaine a rapporté qu'une diète végétarienne peut prévenir 90-97 % des maladies cardiaques.

- Les scientifiques de Harvard ont trouvé que la pression sanguine moyenne des végétarien-ne-s est significativement plus basse que celle des omnivores.

- Les deux tiers de la production céréalière des pays industrialisés (et près de 90 % aux États-Unis) est destinée à l'alimentation du bétail.

  De plus, il faut: 8-10 calories végétales pour fournir 1 calorie animale

  10 protéines végétales pour fournir 1 protéine animale

  16 kg d'aliments pour le bétail pour fournir 1 kg de protéines de boeuf.

Tout ce gaspillage d'énergie est un luxe que nous ne pouvons plus nous payer. **LA PRISE DE CONSCIENCE AMÈNE LE CHANGEMENT.**

CHAPITRE VII

Les céréales

Les céréales, nourriture par excellence connue et utilisée depuis des millénaires, forment la base des repas en alimentation saine. Redécouvrons-les ensemble afin de pouvoir les intégrer au menu quotidien.

VARIÉTÉS

1. **Avoine**
2. **Blé**
3. **Maïs**
4. **Millet**
5. **Orge**
6. **Riz**
7. **Sarrasin**
8. **Seigle**
9. **Triticale**

VALEUR NUTRITIVE

- Excellentes sources énergétiques. Elles contiennent en moyenne 65% d'amidon (glucides) qui se décompose graduellement en glucose utilisé de façon continue par l'organisme.

- La cuisson, le trempage, la germination et le grillage léger dégradent l'amidon des céréales en sucres plus simples et augmentent ainsi leur digestibilité.

- Bonnes sources de protéines, jusqu'à 15%. Toutefois leurs protéines ne possèdent pas les 8 acides aminés essentiels et doivent être complétées.

- Pour obtenir une protéine complète:

  céréales + légumineuses
  céréales + produits laitiers

- Les céréales sont riches en vitamines du complexe B, (germe & son) et en vitamine E, (concentrée dans le germe).
- La germination y développe les vitamines A et C (1).
- Bonne concentration en sels minéraux et oligo-éléments: fer, sodium, potassium, phosphore; comme ces éléments se trouvent près de l'écorce du grain, il est essentiel de manger des grains entiers.

*Toutes les céréales offrent des compositions voisines à quelques petites différences près.

- Les fruits et les légumes riches en vitamine C aident à l'absorption du fer contenu dans les céréales.

  Ex.: prendre une orange ou un jus d'orange avant les céréales du matin, apprêter le millet avec des poivrons et des tomates.

- Les grains entiers, riches en fibres alimentaires, aident au transit intestinal.
- La **mastication** est essentielle car la digestion des céréales commence dans la bouche où l'amylase, enzyme présente dans la salive (et dans le pancréas) dégrade l'amidon.

Sachant tout cela, inutile d'insister davantage sur l'importance de consommer des céréales entières plutôt que des céréales raffinées.

1. Avoine

- Céréale cultivée au Québec.
- Utilisée surtout sous forme de flocons.

Flocons d'avoine:

- Le grain roulé une fois donne un flocon entier.
- Le grain concassé et roulé donne le gruau instantané (moins nutritif).

- Facilite la lactation, recommandé pendant la grossesse.
- Le son d'avoine contribue à abaisser le taux de cholestérol. (2)

UTILISATION:

- Gruau: pour varier, griller les flocons avant de cuire: délicieux!
- Granola (plus digestible cuit ou trempé). Voir section "Pratique".
- Müesli: flocons trempés avec fruits séchés et graines.
- Broyé au mélangeur, donne de la farine pour crêpes, biscuits, etc.
- Épaissir soupe ou sauce.
- Croquettes, biscuits.

Farine d'avoine:

- Pour faire sa propre mouture à partir des grains, griller les grains au préalable.
- Ne contient pas assez de gluten pour la panification en solo. Le pain ne lèverait pas. À utiliser avec de la farine de blé.

2. Blé

- Céréale cultivée au Québec.
- Céréale dont l'usage est très répandu, surtout sous forme de farine: pain, (à cause de sa teneur en gluten), pâtes alimentaires et pâtisserie.
- Peut être consommé entier, cuit et utilisé comme le riz.
- Consommer cru, germé et ajouter aux salades ou dans des plats divers.
- Le blé étant tellement répandu on peut le remplacer par d'autres céréales comme le millet, l'orge, le kasha, etc. ou des farines provenant de ces céréales... histoire de varier un peu!

LE GRAIN DE BLÉ

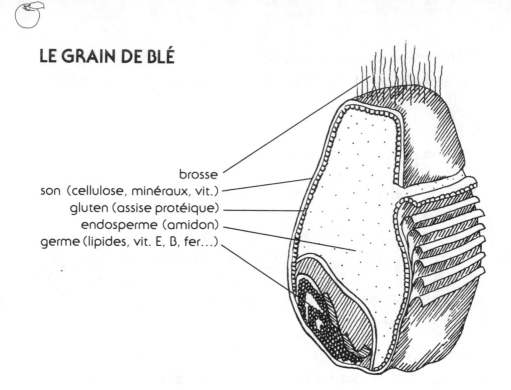

brosse
son (cellulose, minéraux, vit.)
gluten (assise protéique)
endosperme (amidon)
germe (lipides, vit. E, B, fer...)

LE RAFFINAGE DES CÉRÉALES

Le raffinage du blé enlève le germe, le son et altère les protéines. Un gaspillage alimentaire inacceptable!

- On enlève ainsi la majeure partie des nutriments et fibres, en particulier les vitamines et les minéraux, après quoi on décide D'ENRICHIR cette farine même qu'on vient d'appauvrir...

- Les farines enrichies n'ont rien à voir avec la farine complète, car beaucoup d'éléments enlevés ne sont pas rajoutés; or, tous ces nutriments agissent ensemble (synergie); l'absence de certains d'entre eux diminue les capacités de l'équipe.

- Les coûts de transformation de ces produits ainsi que les torts causés, à long terme, à la santé de ceux et celles qui utilisent de tels produits sont inadmissibles.

- Le raffinage est un procédé plus que douteux et tous les produits raffinés sont à éliminer le plus rapidement possible de l'alimentation. **Vous "vivrez" la différence!**

VARIÉTÉS DE BLÉ

Blé dur

- Petit grain très dur, brun. Blé d'automne.
- Sa farine sert principalement à la fabrication du pain grâce à sa teneur en gluten. Le gluten est de nature protéique.
- Suivant le taux de blutage on obtient:
  - la farine de blé entier,
  - la farine blanche non blanchie: farine dont on a tamisé le son sans blanchiement industriel. Ce processus effectué avec du peroxyde détruit la vitamine E, prédispose à des réactions allergiques et est faiblement cancérigène [3]. La farine blanche non blanchie a toutefois perdu un grand nombre de nutriments.

Blé mou:

- Petit grain de couleur jaune. Blé de printemps.
- Sa farine sert principalement à la pâtisserie.
- Contient moins de gluten et davantage d'amidon que le blé dur.
- Ses grains sont utilisés dans la fabrication du rejuvelac.

Blé Durum:

- Sa farine sert à la fabrication des pâtes alimentaires.

PRODUITS DÉRIVÉS DU BLÉ

Farine

- À consommer entière et la plus fraîche possible.
- Le temps altère la vitamine E du germe.
- Ne pas trop griller la farine et le pain car cela altère les protéines.

Semoule:

- Grains de blé dur finement concassés.
- À découvrir comme céréales du matin.
- Peut être ajoutée aux soupes, casseroles, pains, pâtés.

Blé concassé:

- Grains grossièrement broyés.
- Cuit plus rapidement que les grains entiers.

Boulghour:

- Blé dur pré-cuit, séché et broyé.
- Cuit en 10 minutes.
- Il existe du boulghour petit, moyen et gros.
- Dépanneur hors pair, délicieux chaud ou froid en salade.
- Remplace le couscous car plus nutritif.

Couscous:

- Semoule de blé ou de millet décortiqué, pré-cuite et séchée.
- Cuisson comme le boulghour.

Flocons de blé:

- Utiliser tels quels dans le granola.
- Servir avec des légumes sautés et une béchamel au miso ou utiliser comme base pour soupes, croquettes, pâtés.

Les minéraux sont souvent concentrés près de l'écorce: mangeons entier, mangeons minéraux et fibres!

Poudre de malt:

- Blé germé, séché et moulu.
- Sécher au four à 65°C (150°F) pendant 8 heures.
- Broyer au mélangeur, conserver dans un pot au frais.
- Remplace les substances sucrées ou édulcorants.

Son de blé:

- Enveloppe externe du grain, riche en cellulose.
- Aide au transit intestinal.
- Pris seul, en trop grande quantité, le son irrite le tube digestif. Consommer de préférence le blé entier.

Germe de blé:

- Rancit très facilement. Se conserve au froid.

- Utiliser plutôt le blé complet ou germé comme source de vitamine E et de vitamines B.

Gluten de blé:

- Protéines extraites de la farine, séchées et mises en farine.

  Sert à la fabrication du seitan (voir le livre Tome II).

3. Maïs

- Au Québec, utilisé principalement frais comme légume.
- Contient beaucoup de glucides (goût sucré égale au blé), énergétique.
- Riche en lipides (acides gras polyinsaturés). On extrait son huile.
- Seule céréale riche en carotène (provitamine A).
- Une bonne façon d'utiliser les grains de maïs entiers consiste à les rôtir à sec et à les moudre pour obtenir une semoule fraîche ou une farine fraîche.

Maïs soufflé:

- Également nutritif, provient d'une variété à grains plus petits.
- L'écorce éclate à la chaleur et laisse l'amidon "s'épanouir".
- Sans beurre... pas d'embonpoint! Collation soutenante.
- Essayer de nouveaux assaisonnements: quelques gouttes de tamari et de la levure alimentaire, du gomashio, de la cannelle ou encore du parmesan.
- Peut servir de céréale au petit déjeuner.

PRODUITS DÉRIVÉS DU MAÏS:

- **Semoule de maïs** pour préparer polenta et céréale du matin. Adieu le "corn flakes"...
- **Farine de maïs,** délicieuse et aussi nutritive que le grain.
- **Fécule de maïs,** pour épaissir.
- **Huile de maïs,** pour desserts et pains.

- Tous les produits du maïs rancissent vite à cause de leur forte teneur en acides gras polyinsaturés. Acheter des petites quantités à la fois, conserver au froid et utiliser rapidement.

4. Millet

- Grain entier sans son écorce extérieure.
- Sert de base à plusieurs plats principaux.
- Alcalinisant, digestible, non-allergène, savoureux.
- Sa poussière grise lui vient de sa plante - le laver soigneusement avant la cuisson.
- Bien assaisonner car son goût est "très doux".
- Apprécié des enfants; intégrer dans les menus dès le début du changement des habitudes alimentaires.

CUISSON:

- Bien laver
- Griller à sec (augmente son goût de noix et empêche les grains de coller)
- Verser dans 1 1/2 fois son volume d'eau (très chaude pour ne pas l'éclater).
- Porter l'eau à ébullition.
- Couvrir, cuire à feu très doux pendant 20 minutes

  OU

- Tremper ou non et cuire à la vapeur (tous les grains se détachent).

UTILISATION:

- Plats au four, soupe, desserts, tourtières, croquettes, fond de tarte, céréales du matin.
- **Sorgho:** même famille que le millet, utilisé en Afrique.

5. Orge mondé

- Céréale cultivée au Québec.
- Grain entier dont on a enlevé la balle (non comestible).
- À saveur douce et à la texture croquante.
- De nos jours, est utilisé surtout pour la préparation de la bière et l'alimentation des animaux; il est temps de l'intégrer davantage au menu: faire cuire d'avance.
- L'orge perlé est à éviter, car il a subi 6 opérations de polissage, y laissant ses fibres, son germe ainsi que la moitié de ses protéines, lipides et minéraux.
- L'orge écossais (pot barley) a subi 3 polissages.
- L'orge mondé peut s'utiliser dans les soupes, les plats au four, les fonds de tarte, les croquettes, le pain, etc.

Farine d'orge:

- **Ne** contient pas assez de gluten pour la panification en solo.
- Combiner à la farine de blé ou de seigle.

6. Riz

- Céréale qui ne se cultive pas en région tempérée.
- Aliment de base de la moitié de la population du globe!
- Convient aux sédentaires et aux personnes ayant un tube digestif délicat, car il s'assimile facilement.
- Moins de protéines (7-8%) que les autres céréales (15%).
- Le riz blanc et poli a perdu plusieurs de ses minéraux et ses vitamines B, en particulier la thiamine (B_1).

VARIÉTÉS:

- **riz complet long:** tous les grains se détachent.
- **riz complet court:** plus riche en amidon, donne un riz un peu plus collant; utiliser pour croquettes, aspics, soupes ou

fond de tarte. Se mange bien avec des baguettes par temps froid!

- **riz complet doux:** goût sucré, conseillé aux enfants. Se moule bien car plus collant.

- **riz basmati:** décortiqué ou complet. Saveur et arôme typiques venant d'une maturation de 2 ans dans des caves souterraines avant de l'utiliser.

- **riz wehaoni:** riz complet. Sa couleur rouge lui confère une allure se rapprochant de la viande. Idéal pour les subterfuges!

- **riz sauvage:** long grain noir considéré comme une plante aquatique plutôt qu'une céréale. Il pousse au Canada, sa cueillette artisanale le rend dispendieux. À utiliser en mélange avec d'autres variétés.

UTILISATION:

Plats au four, soupes, salades, croquettes, fonds de tarte, entremets; **en flocons:** tremper et déguster tel quel.

7. Sarrasin

- Céréale cultivée au Québec; plante résistante cultivée sans recours aux produits chimiques. Sert d'engrais vert en agriculture.

- On lui reconnaît une action bénéfique contre la formation des varices à cause de la rutine, une vitamine P qui augmente la résistance de la paroi des vaisseaux sanguins.

- Céréale des régions froides, très populaire en Union Soviétique où le sarrasin blanc est rôti avant la cuisson et se nomme kasha.

- Redécouvrons nos célèbres ''galettes de sarrasin''; adoptons cette céréale délicieuse, nutritive et de cuisson rapide.

UTILISATION:

- Grains entier = sarrasin noir utilisé pour la farine ou la germination sur terreau.

- Débarrassé de son enveloppe extérieure: sarrasin blanc (goût délicat).
- Sarrasin blanc grillé: kasha (goût plus prononcé)

CUISSON DU SARRASIN

- Laver le sarrasin blanc et griller à sec pour augmenter la saveur. Cependant, si on préfère un goût plus doux, omettre cette opération.
- Mettre dans 1 1/2 fois son volume d'eau très "chaude" (l'eau bouillante le fait éclater et le rend floconneux) porter l'eau à ébullition et cuire pendant 10 minutes ou jusqu'à absorption complète de l'eau.
- Utiliser pour épaissir les soupes, dans la sauce à spaghetti, le pâté chinois, les tourtières, en salade, en dessert.
- Mélanger avec des flocons le matin, ou avec du boulghour pour rehausser le goût; délicieux mélange.
- Autre façon de l'apprêter:
- Laver les grains de kasha et les faire tremper dans de l'eau chaude de 1 1/2 à 2 heures, ou toute une nuit avec le müesli. Les grains trempés restent croquants, sont plus nutritifs et ne collent jamais. Excellents en salades ou pour ajouter aux muffins, pains, biscuits.
- Une céréale rapide, nutritive au goût unique que nous aurions avantage à découvrir.
- Au début, utiliser le sarrasin blanc au goût plus doux que le kasha.

Farine de sarrasin:

- Pour confectionner nos fameuses galettes! (farine - eau - sel).
- Pour un meilleur résultat, recouvrir et laisser reposer quelques heures à la température de la pièce ou plus longtemps au réfrigérateur.
- Délicieuses même sans mélasse!!!
- Essayer servies avec un peu de miso, du fromage "cottage", des légumes râpés, des germes de luzerne et radis ou avec du yogourt et des fruits.

- Utiliser en combinaison avec d'autres farines dans les crêpes, muffins, etc.
- Donne un bon goût à la sauce béchamel.

8. Seigle

- Céréale énergétique.
- Les grains de seigle germés broyés au mélangeur avec un liquide chaud (eau ou lait) aromatisés à la muscade donnent une céréale pour les matins de grand ménage!

Flocons de seigle:

- Céréale du matin (comme les flocons d'avoine ou de blé).
- Composante du granola.

Farine de seigle:

- Contient suffisamment de gluten pour la panification en solo.
- Donne un pain plus dense que la farine de blé.
- Utiliser dans les crêpes, biscuits, etc. combiné à la farine de blé.

9. Triticale:

- Hybride obtenu du croisement du blé et du seigle.
- S'utilise dans le pain avec le blé.

CUISSON DES CÉRÉALES:

1. À l'eau, sans trempage

a) Mesurer la quantité de céréales voulues, laver en remuant les grains dans l'eau et égoutter dans un tamis.

b) On peut les rôtir légèrement À SEC, cela augmente la saveur et rend les grains moins collants. Lorsque les grains entiers et les farines sont grillés, l'amidon (sucre complexe) se transforme en dextrine (sucre plus simple), ce qui facilite la digestion.

c) Pour la cuisson des pâtes alimentaires, là où toute l'eau n'est pas absorbée, ajouter du sel à la quantité d'eau requise afin de minimiser le passage des minéraux dans l'eau.

   *Penser à réutiliser l'eau de cuisson des pâtes pour le pain, les crêpes...

d) Porter l'eau à ébullition.

e) Ajouter lentement les grains à l'eau bouillante (voir tableau pour la quantité d'eau requise); ainsi les grains seront moins collants.

   Exception: millet et kasha que l'on verse en premier dans l'eau très chaude, mais non bouillante.

f) COUVRIR lorsque l'eau bout à nouveau, poursuivre la cuisson à feu très doux et cuire jusqu'à l'absorption complète de l'eau (voir les temps de cuisson dans le tableau).

. Les céréales triplent presque de volume lors de la cuisson.

. L'eau de cuisson peut être remplacée par un bouillon de légumes, une tisane à la menthe, etc.

. Une fois la cuisson terminée, laisser reposer 15 minutes sans enlever le couvercle; les grains se détacheront mieux.

. Ne pas remuer les grains durant la cuisson; ça les rend plus collants.

. Si les céréales sont collantes une fois cuites, soit à cause de l'utilisation d'une trop grande quantité d'eau ou pour une autre raison, rincer les céréales à l'eau tiède et égoutter;

ceci améliore grandement la situation. Habituellement on ne rince pas à la fin de la cuisson.

2. À l'eau, après trempage

- Céréales à grains entiers: le trempage attendrit l'écorce et raccourcit le temps de cuisson.
- Céréales à grains transformés: le trempage remplace la cuisson.
- On doit faire tremper l'avoine, le blé, le maïs, l'orge, le seigle environ 8 heures avant la cuisson.

   a) Laver les grains et tremper à l'eau froide (voir tableau pour la quantité d'eau requise) de 8 à 12 heures, dans un endroit frais.

   b) Enlever l'eau qui reste, la porter à ébullition, y verser les grains trempés. Lorsque l'eau bout à nouveau, couvrir et poursuivre la cuisson à feu très doux jusqu'à ce que les grains soient tendres ou selon le temps de cuisson.

*On peut toujours faire tremper les céréales avant la cuisson **à condition d'utiliser l'eau de trempage pour la cuisson**. Les céréales réabsorbent ainsi les vitamines B et les quelques minéraux qui se sont dissous dans l'eau lors du trempage.

NOTE: On peut même commencer à faire germer les grains après le trempage. Ceci augmente la digestibilité et la valeur nutritive et diminue énormément le temps de cuisson.

3. À la vapeur

Tous les grains se cuisent très bien à la vapeur. La cuisson est un peu longue.

4. Dans un thermos

- Le matin, faire tremper les céréales dans la quantité d'eau recommandée dans le tableau.

- Le soir, porter le tout à ébullition et verser ensuite dans un thermos réchauffé.

- Le lendemain matin, déguster vos céréales à votre goût.

APPRÊTER LES CÉRÉALES À SON GOÛT, C'EST IMPORTANT!

NOTE: La plupart des gens sont habitués aux saveurs fortes et épicées, salées ou sucrées. Par conséquent, la saveur douce et SUBTILE des céréales ne les ATTIRE guère. Toutefois les HERBES, les épices, l'ail, l'oignon, la levure alimentaire et le tamari permettent de rehausser la saveur des plats à base de céréales. Un peu d'assaisonnement fait souvent toute la différence.

Dans la section "Pratique", vous trouverez plusieurs idées, techniques et recettes qui faciliteront votre apprentissage.

CONSERVATION ET QUALITÉ

- Les céréales se conservent très bien et pendant longtemps dans des contenants bien fermés, rangés dans un endroit frais et sec, à l'abri de la lumière.

- Dans des sacs de plastique, les céréales ne sont pas à l'abri de l'humidité et de la chaleur qui altèrent la qualité nutritive, ni à l'abri des insectes.

- Choisir de préférence des grains entiers ou transformés de culture BIOlogique. Une question de santé!

- Favoriser l'utilisation des céréales entières (riz, millet, etc.) car elles sont plus nutritives que les céréales transformées (boulghour, flocons, etc.); celles-ci peuvent cependant dépanner et permettre de varier les menus.

TABLEAU DE CUISSON DES CÉRÉALES ENTIÈRES

Produit 250 ml (1 tasse)	EAU (tasse)	TEMPS CUISSON sans trempage	CUISSON après trempage (8 heures)	CUISSON après trempage et germination (8 heures)	CUISSON pression eau- temps
Avoine	4	—	1 1/2 - 2	—	1 1/2-1
Blé	3	—	2	—	1 1/2 - 1 1/2
Millet	1 1/2	20 min.	15 min.	10 min.	—
Orge mondé	2 1/2	1 1/2 hre	45 min.	40 min.	2 - 1
Riz long - court - doux, basmati entier	2	35 min.	30 min.	25 min.	—
Riz sauvage	2 1/2	45 min.	20 min.	—	—
Sarrasin	1 1/2	15 min.	se mange après trempage	—	—
Seigle	3	1 1/2	—	—	—

CÉRÉALES TRANSFORMÉES

Blé concassé	3	1 hre	—		
Boulghour	1 1/2	10 min.	5 min.		
Flocons	2	20 min.	5 min. ou manger tel quel		
Semoules	4	15 min.	—		
Granola	2	15 min.	se mange après trempage		
Son	—	—	tremper 15 min.		
Riz basmati blanc	2	20 min.	—		

*Ces tableaux sont ''inspirés'' du Catalogue de nos produits de La Balance, ajustés et complétés selon l'expérience de l'auteure.

CHAPITRE VIII

Les légumineuses

Les légumineuses, plantes dont le fruit est une gousse, sont en général sous-estimées et sous-utilisées dans les menus. Nous apprendrons ici à les découvrir et à les intégrer de façon substantielle dans notre régime.

De culture facile et écologique: elles fixent l'azote dans le sol et sont très peu énergivores comparé à la production d'une protéine animale.

VARIÉTÉS

1. **Arachides**
2. **Fèves ou haricots secs**
3. **Lentilles**
4. **Pois secs**

VALEUR NUTRITIVE

- Excellente source de protéines (17-25 %)
  * La fève soya contient 35 % de protéines.
- Pour obtenir une protéine complète, les associer aux céréales ou noix ou graines.
- Bonne source énergétique: jusqu'à 56 % de glucides (amidon)
- Leurs lipides sont en majorité des gras polyinsaturés, et sont tous dépourvus de cholestérol.
- Bonne source de minéraux (calcium, phosphore, fer) et

des vitamines B (thiamine B_1, niacine B_3).

- La germination y développe la vitamine A et C, augmente la digestibilité.

- Source de fibres.

- Ce sont des aliments concentrés à manger modérément et à associer aux produits végétaux comme les céréales et les légumes: tomates, poivrons, brocolis dont la vitamine C aide à l'absorption du fer et du calcium.

Les légumineuses peuvent-elles remplacer la viande?

Les légumineuses sont un excellent substitut à la viande.

ELLES CONTIENNENT:

- une quantité de protéine suffisante qu'il faut cepen- dant compléter avec d'autres groupes de végétaux. Voir chapitre de la complémentarité des protéines,

- peu de matières grasses, pas de cholestérol,

- des glucides, des minéraux (fer et calcium), des vita- mines et beaucoup de fibres alimentaires.

%-100 g d'aliments	FÈVE BLANCHE	SOYA	BOEUF	POISSON (maigre)	OEUF (maigre)	FROMAGE
Protéines	22,3	34,1	19,00	16,4	12,9	23,2
Lipides	1,6	17,7	13,0	0,5	11,5	30,0
Glucides	61,3	33,5	0	0	0,9	1,9
Calcium (mg)	144	226	11	25	54	697
Fer (mg)	7,8	8,4	2,3	0,7	2,3	0,9
Vit. B_1 (mg)	0,65	1,10	0,07	0,05	0,11	0,02
Fibres	4,3	4,9	0	0	0	0

Il devient donc très avantageux de remplacer les protéi- nes animales de la viande, des oeufs ou du poisson par les protéines végétales des légumineuses.

NOTE: Les végétariens ont intérêt à en manger régulièrement car elles sont parmi les meilleures sources de fer du règne végétal. 1 portion = 250 ml (1 t.) de légumineuses cuites.

1. Arachides

- Classées parmi les légumineuses; après la fécondation, leurs fleurs s'enfoncent dans le sol et y forment leurs fruits.
- Combiner aux céréales et aux verdures.
- Conserver les arachides en écales dans un endroit frais et les arachides écalées ainsi que le beurre d'arachide au réfrigérateur.
- Éviter les beurres commerciaux additionnés de sucre, de sel et hydrogénés. Les beurres "naturels" ou "maison" sont les meilleurs.
- Pour du beurre plus onctueux, le battre à la fourchette avec un peu d'eau tiède. À consommer immédiatement. Voir la recette de beurre émulsionné dans la section "Pratique".
- Pour faire son beurre: rôtir les arachides crues à sec et broyer au mélangeur, si le moteur de ce dernier est assez fort.

2. Fèves ou haricots secs

aduki	mung	romaine
blanche	noire	rouge ou rognon
bébé Lima	dolique à oeil noir	soya
gourgane	pinto	etc.

Fèves aduki et mung

- Deux petites fèves: l'une rouge rayée blanc (aduki) et l'autre verte (mung).
- À consommer **germées** - ou cuites.
- L'aduki est savoureuse, facile à digérer et diurétique.
- Germées, les ajouter aux céréales, salades, sandwiches,

chop suey.

- Cuites, apprêter en casseroles, soupes, purées, au four.

Fève blanche

- Cultivée au Québec: plat traditionnel de fèves au four; on peut aussi l'utiliser en pâtés, soupes, purées.

- Essayer les "saines binnes" de la section "Pratique".

Fève Lima

- Il en existe 2 variétés: les bébés Lima et les géantes.
- Fève alcalinisante, douce, digestible, appréciée des enfants.
- Délicieuse en soupes, salades, purées, casseroles.

Fève rognon ou rouge

- Elle a la forme et la couleur du rein.
- Utilisée en salades, croquettes, pâtés, chili SIN carne (avec tomates et épices), bonnes soupes d'hiver, sur pizzas.

Fève soya

- La plus protéinée des fèves, 35%.
- Nous la verrons en détail à la fin de ce chapitre.

Gourgane (fève des marais)

- Cultivée en certains endroits du Québec, elle est malgré tout assez peu connue.
- Consommée fraîche (légumes, soupes) ou séchée.

3. Lentilles

- Vertes, brunes et rouges.
- Les plus riches en fer avec les fèves doliques à oeil noir.
- Digestes et délicieuses. Parmi les premières à introduire dans l'alimentation des enfants.
- Toujours compléter pour obtenir une meilleure qualité de protéines (céréales, noix, graines).

- Les lentilles rouges sont moins nutritives et ne germent pas car elles sont décortiquées.
- À consommer de préférence **germées**: en salades, soupes, pâtés; ou **cuites**: en soupes, salades, pâtés, assaisonnées au cari ou à la muscade.

4. Pois secs

Pois chiche

- Gros pois beige texturé; savoureux. À découvrir.
- Le plus riche en sels minéraux: magnésium, fer, calcium, phosphore et zinc.
- Utilisé surtout en délicieuses purées à tartiner (hummus).
- Apprêter en salades, pâtés, croquettes, soupes ou germés.
- Combiner aux céréales pour une meilleure qualité de protéines.

Pois jaune

- Apprêter en soupes et en purées.
- Ajouter à la soupe un peu de riz et des oignons pour en augmenter la saveur et la valeur nutritive.

Pois vert cassé

- Cuisson rapide.
- Apprêter en soupes (avec carottes, oignons et thym) ou en purées ou avec une céréale.

CONSERVATION ET QUALITÉ DES LÉGUMINEUSES

- On reconnaît leur fraîcheur à leur aspect luisant. Plus fraîches à l'automne.
- De vraies conserves naturelles: se gardent bien 1 1/2 an.
- En vieillissant, elles mettent plus de temps à cuire et sont moins faciles à digérer.
- Conserver à l'abri de la lumière et au sec.
- Cuites, se conservent quelques jours au réfrigérateur et

quelques mois au congélateur.

MÉTHODE DE CUISSON ET DIGESTIBILITÉ DES LÉGUMINEUSES

- Trier, car souvent on y trouve des petites roches; laver.
- Tremper toute une nuit dans 3 fois le volume d'eau froide.
- ÉGOUTTER et couvrir d'eau fraîche, environ 5 cm (2 po) au-dessus des fèves.
- Couvrir, porter à ébullition, réduire la chaleur et cuire à feu doux en remuant de temps à autre.
- Une fois cuites, elles doublent ou triplent de volume selon la variété.

  * Si on a oublié le trempage, on peut:
    - les déposer dans l'eau froide,
    - porter l'eau à ébullition,
    - faire bouillir 2 minutes,
    - laisser reposer 2 heures pour qu'elles gonflent,
    - ÉGOUTTER et procéder comme ci-dessus.

NOTE: **Le trempage de toutes les légumineuses** augmente la digestibilité et diminue le temps de cuisson. Une habitude à prendre! Tremper 8 à 15 heures, jeter l'eau de trempage, germer et/ou cuire.

L'eau de trempage des légumineuses ne doit pas être consommée car elle donne des gaz à cause des trisaccharides qu'elle contient.

Cuisson au four

- Tremper toute une nuit ou 8 à 15 heures.
- Jeter l'eau de trempage, déposer dans de l'eau froide.
- Porter à ébullition et mijoter une quinzaine de minutes.
- Verser ensuite dans une marmite en terre cuite ou en verre; ajouter légumes, assaisonnements et suffisamment d'eau pour recouvrir le tout. Couvrir et poursuivre la cuisson au four, 120°C (250°F) pendant 8 heures.

Cuisson sous pression

- Suivre le mode d'emploi de votre autocuiseur.

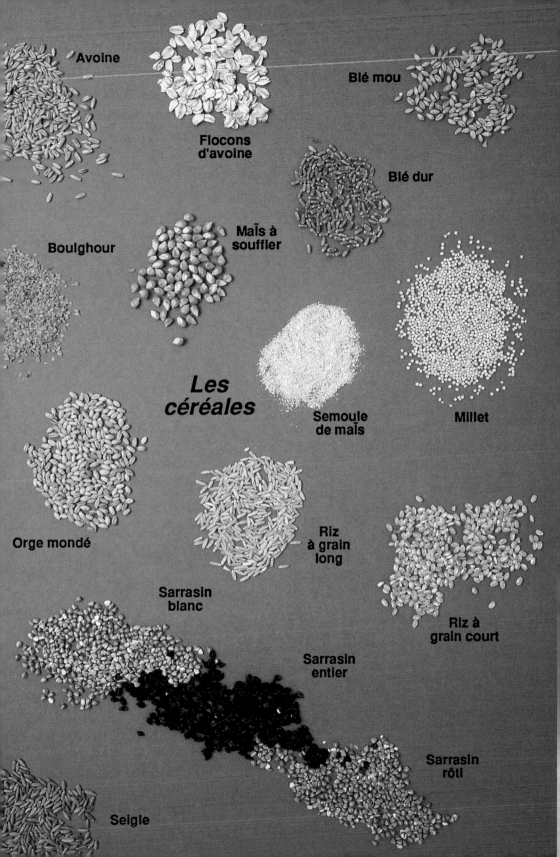

Avoine

Flocons
d'avoine

Blé mou

Blé dur

Boulghour

Maïs à
souffler

Les
céréales

Semoule
de maïs

Millet

Orge mondé

Riz
à grain
long

Riz à
grain court

Sarrasin
blanc

Sarrasin
entier

Sarrasin
rôti

Seigle

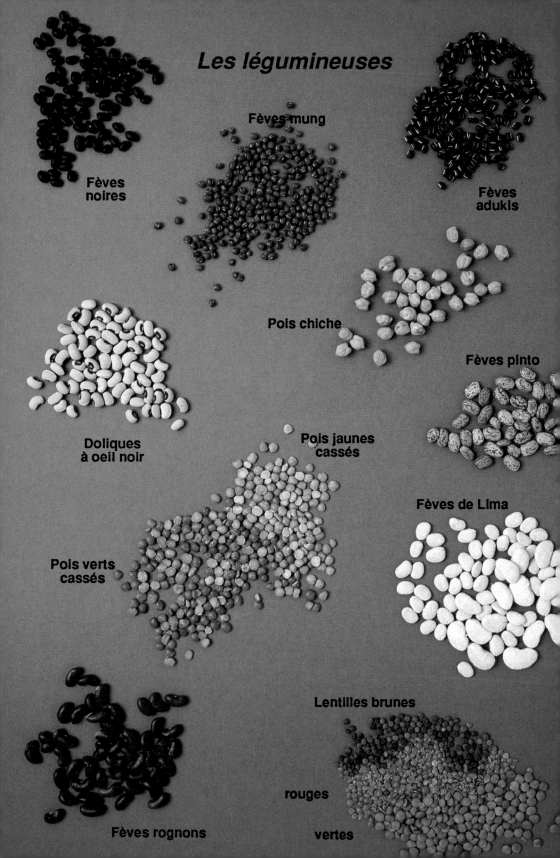

Les légumineuses

Fèves mung

Fèves noires

Fèves adukis

Pois chiche

Fèves pinto

Doliques à oeil noir

Pois jaunes cassés

Fèves de Lima

Pois verts cassés

Lentilles brunes

Fèves rognons

rouges

vertes

Avelines
ou
noisettes

Amandes

Noix de cajous

**Noix
et graines**

Noix
de
coco

Graines de sésame

Noix de Grenoble

Noix de Brésil

Graines
de lin

Graines
de
citrouille

Graines
de
tournesol

Graines de tournesol
entières

Tamari
sauce soya

Tofu

Fèves
soya

Lait de
soya

Miso

Gingembre

Levure
alimentaire

Caroube

Variété
de germes

- Attendrit bien les grosses légumineuses comme les pois chiches et le soya.

Pour éviter gaz et ballonnements:

- Au début, choisir les plus digestes: Lima, lentilles, pois verts.

- **En manger chaque jour ou presque, des petites quantités,** environ 125 ml (1/2 tasse) à la fois pour habituer vos intestins… et vos voisins!

- Ajouter à l'eau de cuisson: fines herbes (laurier et sarriette), épices (cumin, gingembre), algues (morceaux de kombu), légumes (ail, oignons).

- Éviter d'utiliser: bicarbonate de soude (détruit la vitamine B_1), tomates et sel (durcissent les fèves, les ajouter en fin de cuisson).

- Ajouter du sucre (mélasse) aux légumineuses rend la digestion plus ardue et ne passe pas inaperçu!

- Enlever l'écume qui se forme à la surface durant la cuisson.

- Une courte germination avant la cuisson facilite toujours la digestion.

- S'assurer qu'elles sont bien cuites et bien les mastiquer.

À propos de notre consommation de légumineuses

Au Québec on n'a pas l'habitude de consommer régulièrement des légumineuses, exception faite de nos traditionnelles fèves au lard et soupe aux pois. Connaissant maintenant la grande valeur nutritive de ces aliments, l'aspect écologique de leur culture ainsi que les conséquences économiques qui en découlent, comment peut-on acquérir l'habitude de les intégrer quotidiennement dans son alimentation?

C'EST SIMPLE,

1. **Le trempage automatique:**

- Un soir, après le souper, alors que rien ne laisse supposer

que vous mangerez des légumineuses dans les jours pro-
chains...

- Choisissez-en 2 variétés (ex.: fèves rouges et pois chiches)
  et hop! au trempage! Ça prend 5 minutes, lavage inclus.

2. La cuisson à l'avance:

- Le lendemain, lorsque vous aurez une minute, égouttez,
  couvrez d'eau fraîche et faites cuire...

- Votre provision pour la semaine, et davantage si vous le
  désirez.

- Une fois cuites, gardez-en au réfrigérateur pour vous en
  servir dans les jours qui viennent et congelez le reste en
  portions appropriées à vos besoins pour le mois.

- Ce sera maintenant très facile de vous laisser inspirer et
  d'en ajouter dans la soupe aux légumes, la salade, les
  sauces, pour garnir des pizzas ou du pain, ou simplement
  d'en ajouter à votre plat de riz ou de millet.

- Ce sera facile de varier et de créer ainsi l'habitude de manger chaque jour une portion de légumineuses.

- Des techniques permettant de se nourrir sainement sans
  investir tout son temps dans la cuisine sont présentées au
  chapitre intitulé "La méthode gagnante".

La fève soya et ses métamorphoses

Très appréciée depuis des millénaires en Orient, la fève
soya gagne en popularité en Amérique du Nord. Une prise de
conscience de la santé, de l'état des sols et de la nécessité
d'un partage plus équilibré des protéines dans le monde nous
font découvrir les multiples avantages de la fève soya.

VALEUR NUTRITIVE

- Excellente source de protéines (35%).
- Complète bien les protéines des céréales.
- Ses lipides sont dépourvus de cholestérol et formés d'aci-
  des gras polyinsaturés.

- Contient de la lécithine, indispensable dans tous les tissus nerveux, notamment le cerveau.

- Très riche en vitamines du complexe B.

- La germination accroît la teneur en vitamines A et B, développe les vitamines C et E, la rend plus facile à digérer et raccourcit le temps de cuisson.

- Contient fer, calcium, phosphore, potassium.

- Cultivée au Québec; la plante fixe une grande quantité d'azote dans le sol.

- Pour la rendre plus digestible, faire tremper 24 heures avant de cuire (2-3 heures); c'est encore mieux si on la fait germer avant de cuire doucement (1/2 heure à 1 1/2 heure).

- Cuisson, germination et fermentation neutralisent la toxine de cette fève, l'anti-trypsine qui nuit à la digestion des protéines. Ne pas la consommer crue.

SES MÉTAMORPHOSES

La fève soya se transforme de plusieurs façons sans pour autant perdre de ses qualités, au contraire! Généreuse, elle nous offre différents produits:

noix de soya	huile de soya	lait de soya (yogourt)
flocons de soya	tamari	tofu
lécithine de soya	miso	okara (pulpe de soya)
farine de soya	tempeh	beurre de soya

Lécithine de soya

- La lécithine est indispensable aux cellules nerveuses.

- C'est le jaune d'oeuf qui en contient le plus, suivi du soya.

- Pour remplacer l'oeuf dans les recettes: 1 c. à thé de lécithine + 2 c. à soupe de lait en poudre (soya de préférence) + 1/4 de tasse d'eau.

- Il est préférable d'ingérer la lécithine de soya à partir de la fève entière plutôt que sous forme d'extrait (en granules).

Farine de soya

- On devrait prendre l'habitude d'en incorporer toujours une petite quantité dans les recettes de pain, gâteau, tarte, pâté, etc. afin d'augmenter la qualité des protéines et donner un bon petit goût de noix.

- À conserver au réfrigérateur car elle rancit facilement.

Huile de soya

- Couleur foncée, goût de noix (si de première pression).
- Contient des acides gras polyinsaturés.
- Très difficile à trouver pressée à froid.

Tamari - shoyu

- Sauce soya utilisée en cuisine végétarienne.
- Produit de fermentation, riche en vitamines B dont la B_{12}, fermenté de 1 à 2 ans; avec ou sans céréale et du sel marin.
- Utiliser toujours en fin de cuisson car le tamari ne doit pas bouillir si on veut conserver la vitamine B_{12} et les bactéries de fermentation.
- Garder au frais.
- Éviter la sauce soya synthétique des supermarchés qui est fabriquée par hydrolyse de tourteaux de soya (résidu des fèves dont on a extrait l'huile) à l'aide d'acide chlorhydrique et additionnée de caramel (colorant) ou de sirop de maïs (goût).
- Utiliser comme assaisonnement. Ne pas en abuser car c'est salé! 1/2 c. à thé de sel = 2 c. à thé de tamari = 1 c. à soupe de miso. [1]

Miso

- Produit analogue au tamari mais sous forme de pâte alors que le tamari est liquide; sa fermentation peut se poursuivre pendant trois ans; avec ou sans céréale et du sel marin. Il existe une grande variété de ''miso''.

  - Soya + orge = mugi miso
  - Soya + riz = kome miso
  - 100% soya = hatcho miso, etc.

- Sa richesse en protéines, vitamines B (dont la B_{12}) et minéraux en font un aliment de base des Japonais.

- Ne pas bouillir, ajouter en fin de cuisson pour conserver la valeur nutritive.
- Garder au frais dans un pot de verre.
- Tamari et miso peuvent servir de complément aux céréales et facilitent la digestion, étant des produits de fermentation.

UTILISATION

- On peut boire le miso: 1 c. à thé dans 125 ml (1/2 tasse) d'eau chaude.
- Sauce: eau, fécule et miso.
- Bouillon de soupe, sauce, vinaigrette, etc. en petite quantité.
- Pâte à tartiner: mélanger un peu de miso et du beurre de sésame au goût.

Tempeh

- Préparation fermentée du soya faite à partir d'une culture bactérienne.
- Très bonne valeur nutritive, dont la B_{12}.
- Griller légèrement et servir comme plat principal.
- Sera étudié en détail dans le tome II.

Lait de soya

VALEUR NUTRITIVE

- Bon taux de protéines
- Faible teneur en glucides, recommandé aux diabétiques.
- Pauvre en matières grasses.
- Teneur en calcium: 46 mg par tasse. Source de fer: 1,8 mg par tasse.
- Précieux en cas de troubles cardiaques et d'artériosclérose car il contient de la lécithine et des acides gras polyinsaturés et pas de cholestérol.
- Alcalinisant, donc combat l'acidité, ne favorise pas la formation excessive de mucus.

- Extrêmement économique.

LAITS 1 tasse 250 ml	GLUCIDES %	LIPIDES %	PROTÉINES %	CALCIUM mg	FER mg
Lait de vache	4,9%	3,5%	3,4%	307	traces
Lait de soya	2,2%	1,5%	3,5%	*46	1,8
Lait maternel	9,5%	4,0%	1,1%	80	0,2

*On peut fortifier le lait de soya avec du lactate ou du carbonate de calcium, si désiré. Voir section "Pratique".

UTILISATION

Comme boisson, un changement progressif est recommandé de préférence à un changement radical (l'ajouter graduellement au lait habituel). Le lait de soya a un goût de noix. Pour faciliter le changement, ajouter un peu de miel ou de vanille, ou fouetter avec des fruits, au mélangeur.

Cependant, il est possible de l'utiliser sans restriction dans la préparation des plats sans créer trop de remous car:

- Le lait de soya ne change pas le goût des aliments.
- Il complète les protéines des aliments (farine, riz, millet, etc.)
- Utilisez-le dans les soupes, les sauces, les béchamels, les crèmes, les desserts, les crêpes, personne ne s'en apercevra!
- On fait le yogourt de lait soya de la même façon qu'avec le lait de vache. Utiliser moitié/moitié au début.

Tofu

- Lait de soya coagulé, dont on a pressé le caillé pour en extraire le petit lait.
- Facile à digérer, à apprêter et à intégrer au menu.
- Très bonne valeur nutritive. Remplace avantageusement la viande, les oeufs et les produits laitiers, car il est une excellente source de protéines végétales, pauvre en gras saturés, dépourvu de cholestérol et très économique.

- Riche en minéraux dont le calcium: 128 mg par 100 g (1/4 de bloc ou 4 onces ou 1 portion), le fer (1,9 mg par 100 g), phosphore, potassium, sodium ainsi qu'en vitamines B et E. Cependant il est dépourvu de fibre.

UTILISATION

Le tofu est un des aliments les plus versatiles. Son goût est doux et fin et non pas "fade". Remplacer ce terme par des mots plus subtils et c'est étonnant comme le goût change. On peut l'utiliser dans la préparation des plats principaux aussi bien que dans celle des desserts... et ce pour presque rien.

- Servir nature, en cubes, mariné, sauté, etc.
- Fouetter au mélangeur pour obtenir sauce simple ou sophistiquée, mayonnaise à s'en lécher les babines, crème fouettée, glaçage rose, etc.
- Écraser à la fourchette pour servir "incognito" ou le déguiser en oeufs brouillés, etc.
- Consultez la section "Pratique" pour vous convaincre de ses mille et un usages et vous inspirer davantage!
- Bien souvent avec le tofu, le secret est dans l'assaisonnement et la façon de l'apprêter, comme pour toutes les légumineuses d'ailleurs!
- Il est important de penser à ajouter du tofu aux plats de céréales qui sont habituellement pauvres en lysine (acide aminé essentiel) car le tofu en contient en abondance. Ceci en fait un excellent complément.

CONSERVATION

- Emballé sous vide, le tofu se conserve des semaines au réfrigérateur. Une fois ouvert, il faut le couvrir d'eau et le remettre au froid. Changer l'eau le plus souvent possible.
- Il se congèle sans problème; il prend alors une couleur jaunâtre qu'il perd en décongelant; sa texture change et devient granuleuse.
- Pour "rafraîchir" le tofu si nécessaire, le plonger dans l'eau et porter à ébullition. Le plonger ensuite dans l'eau glacée. Il devient délicieux.

Okara (pulpe de soya)

- La pulpe qui reste lors de la fabrication du lait de soya.
- Fibres ayant perdu beaucoup de leurs protéines (combiner avec les céréales). Il en reste 3,5 % comparé à 35 % dans la fève soya.

UTILISATION

- Griller dans le wok avec des légumes comme plat d'accompagnement.
- Ajouter dans les salades, les soupes, les biscuits, les pains, les pâtés.
- On en fait de délicieuses croquettes, des pâtés à tartiner, des saucisses...
- Se conserve quelques jours au réfrigérateur. Congeler ou sécher pour conserver plus longtemps.

Poudre de lait de soya

- Préparer au mélangeur comme la poudre de lait de vache (1/4 tasse de poudre par tasse d'eau).
- Au repos, la poudre décante facilement. Bien brasser avant d'utiliser ou filtrer.
- Utiliser tel quel dans les recettes. Peut remplacer la poudre de lait, parce que plus économique.
- Cependant, comme boisson, le lait fait à partir des fèves est plus savoureux.
- Exemple d'utilisation de la poudre de lait: fouetter au mélangeur 2 oeufs, 2 tasses de farine, 1/2 tasse de poudre de lait de soya, du sel, 2 tasses d'eau: voilà de délicieuses crêpes!

C'EST INCROYABLE TOUT CE QU'ON PEUT FAIRE AVEC LA FÈVE SOYA!

TABLEAU DE CUISSON DES LÉGUMINEUSES

Produit (1 tasse) (250 ml)	EAU (tasse)	TEMPS CUISSON (hres)	CUISSON après trempage (8 hres)	CUISSON après trempage et germination (8 hres)	CUISSON pression (min.)
Aduki	3 t.	1 1/2	40 min.	30 min.	—
Fèves blanches	3	2	—	—	25
Gourganes	3	2	—	—	—
Lima	2	1 1/2	30	30	25
Mung	3	1 1/2	—	—	—
Noires	4	1 1/2	30	—	Jamais
Rouges	3	1 1/2	30	—	—
Soya	3	2-3	105	105	35
Lentilles	3	45 min.	15	—	—
Pois cassés	3	1	10	—	Jamais
Pois chiches	4	2-3	60-90	35	45
Pois jaunes	3	3	60	—	—

- Ce tableau est "inspiré" du catalogue de nos produits de La Balance, ajusté et complété selon l'expérience de l'auteure.

- Cette page peut être reproduite et placée dans un endroit pratique pour vous.

- Les légumineuses sont cuites lorsqu'elles s'écrasent facilement à la fourchette.

- À l'automne, lorsque les légumineuses sont fraîchement récoltées elles cuisent plus rapidement. Plus elles sont vieilles, plus le temps s'allonge.

- Quelques expériences de cuisson après trempage ou après germination ont été faites; les autres sont à venir.

LÉGUMINEUSES

CHAPITRE IX

Les noix
et les graines

Les noix et les graines sont des fruits oléagineux du latin "oléum" qui signifie huile. Ce terme englobe tous les fruits riches en lipides dont les olives, les avocats.

VALEUR NUTRITIVE

- Bonne source de protéines et de glucides. Aliments concentrés en lipides. Peuvent contenir de 3 à 7 fois plus de lipides que de protéines: donc très calorifiques. Éviter les excès!

- Bon complément de protéines avec les légumineuses.

- Bonne teneur en sels minéraux (calcium, fer, magnésium, zinc) et vitamines (A, B, E).

- Portion recommandée: adultes 60 ml (1/4 tasse) par jour ou 30 ml (2 c. à soupe) sous forme de beurre.

TREMPAGE

- Rend plus faciles à digérer et plus tendres.

- Tremper de quelques heures à une nuit dans de l'eau froide. Le lendemain, il est facile de les ajouter aux céréales du matin, à la salade du midi, de les servir en collation.

UTILISATION

- Tremper ou non, combiner aux salades de légumes ou de

fruits, yogourt, légumes ou céréales.

- Tremper et battre au mélangeur avec de l'eau ou du reju-velac, pour obtenir d'excellents laits ou sauces, pâtés, fromages (voir Tome II).

- Griller à sec et moudre pour incorporer à différentes recettes:

  1. Choisir quelques variétés, les laver.

  2. Sécher et griller légèrement dans une poêle en fonte, à sec; ou au four sur une tôle. **Quel arôme!**

  3. Refroidir et moudre à l'avance en petites quantités; conserver dans de petits pots en verre, dans un endroit frais et à portée de la main.

     À consommer durant la semaine.

Il est préférable de consommer les noix et les graines à l'intérieur d'un repas comme complément, plutôt que de les grignoter entre ceux-ci.

NOIX

Amande douce

- Belle qualité de protéine. Ses acides gras sont non saturés. On en extrait de l'huile.

- Source de calcium et de magnésium, concentrés dans la peau.

- Surprenante, lorsque trempée une nuit. On en fait un **excellent beurre.**

Aveline (cultivée) ou noisette (sauvage)

- Pousse sous notre climat tempéré.

- Trempée, elle est savoureuse. Excellent beurre.

Noix d'acajou ou cajou

- Fruit de l'anacardier, arbre des régions tropicales.

- Contient de la vitamine A.

- Trempée, donne une consistance crémeuse.

Noix du Brésil

- Très riche en lipides dont 30 % d'acide linoléique. Une des plus calorifiques.
- Pour écaler plus facilement cette noix à 3 côtés, congeler quelques heures au préalable ou faire tremper 1 à 2 jours.

Noix de coco

- Fruit du cocotier dont on consomme la pulpe fraîche ou séchée.
- Contient des sucres naturels lorsque séchée; inutile de l'acheter sucrée.
- À utiliser fraîche, râpée dans les salades de fruits, céréales.
- Diurétique et laxative. Le lait de coco est un bon vermifuge (pulpe + eau, au mélangeur).
- Son huile (appelée aussi huile de coprah) est saturée et solide à la température de la pièce.

Noix (appelée communément ''noix de Grenoble'')

- Pousse en climat tempéré.
- Écalée, elle rancit facilement. Toujours la conserver au réfrigérateur.
- Se conserve mieux en écale.

Autres variétés de noix: châtaigne, glands, pignons de pins, pacanes, pistaches.

NOTE: Rechercher les pacanes et les pistaches couleur nature, car sur le marché elles sont souvent teintes en rouge.

CONSERVATION ET QUALITÉ DES NOIX

- Avec écales: au frais, à l'abri de la lumière et de l'humidité dans des contenants hermétiques.
- Sans écales: il est préférable de les garder au réfrigérateur dans des contenants de verre; on les voit et on les utilise!
- Dans leur écale, elles sont plus économiques, résistent mieux au rancissement… et ça occupe les enfants!
- Les noix en écale trempées pendant 1 à 2 jours s'écalent plus facilement et ont meilleur goût.

- Les beurres de noix se conservent au frais. Ils sont plus digestes et plus crémeux lorsque battus (émulsionnés) avec un peu d'eau tiède.

    Les noix sont récoltées à l'automne. Il est donc préférable d'en faire provision à cette saison et de les congeler.

Graines

Graines de citrouille (ou d'autres courges)

- Cultivées sous notre climat: à privilégier et à utiliser davantage.

- Bon vermifuge; bon pour la prostate en raison de sa teneur en zinc.

- Utiliser séchées ou moulues. Ajouter dans les céréales et les sauces à salades.

- Sécher, griller à sec, arroser d'un peu de tamari et consommer telles quelles ou ajouter aux salades de fruits ou de légumineuses.

- Faciles à récolter chez soi. Ramassez-les et... bon appétit!

- Les graines de citrouille vertes sont une variété spéciale, sans écale, qu'on consomme telles quelles.

Graines de lin

- Plante à belles fleurs bleues dont les graines sont oléagineuses (on en extrait l'huile); elles contiennent du mucilage, une fibre alimentaire à effet laxatif. Sa tige fournit une fibre textile.

- Pour équilibrer la flore intestinale (1 c. à soupe moulue dans de l'eau ou du jus, au lever et au coucher).

- La graine de lin n'est pas bénéfique uniquement pour les intestins ou un corps étranger dans l'oeil! Loin de là! C'est également une graine nutritive et délicieuse. Pour une meilleure assimilation, la manger moulue, ajoutée aux céréales du matin ou dans des biscuits.

Graines de sésame

- Cultivées en climat chaud et sec. C'est une plante qui atteint environ 1 mètre de hauteur aux graines blanches, jaunes, brunes ou noires. Les brunes sont les plus courantes.

- À manger **non décortiquée et MOULUE**, sinon elle ne sera pas digérée et sera rejetée telle quelle.

- Sa teneur en lécithine et en calcium la rend bénéfique pour le système nerveux.

- Bien laver avant d'utiliser, sécher au four ou à la poêle.

- On en fabrique un excellent beurre. Choisir le beurre de sésame fait à partir de graines non-décortiquées et légèrement rôties, car il a une plus grande valeur nutritive que le "tahini" fait à partir de graines décortiquées.

- Le beurre de sésame s'utilise dans la purée de pois chiches, sauces à salade, tartinage...

- **"Battu" avec un peu d'eau, c'est "imbattable"!**

Graines de tournesol
(hélianthe: du grec hélios "soleil" et anthos "fleur")

- Cultivées en climat froid (à privilégier); très bonne valeur nutritive.

- Bonne source de protéines et d'acides gras polyinsaturés dont l'acide linoléique, le principal acide gras essentiel. Excellente teneur en vitamine B_6 (pyridoxine).

- Sa vitalité vient de sa capacité à suivre le soleil du matin au soir et de ses racines profondes qui vont puiser les oligo-éléments du sol, en particulier le fer et le fluor.

- Enlever l'écorce noire avant de consommer. Rechercher les graines d'un beau gris.

- Plus tendres et délicieuses trempées une nuit avant de consommer.

- Griller à sec et assaisonner d'un peu de tamari.

- Décortiquées: donnent de délicieux petits germes (méthode en pot); avec l'écorce noire, donnent des pousses succulentes (germination sur terreau).

NOIX ET GRAINES

- Moudre les graines décortiquées et ajouter à différents plats.

- Conserver au réfrigérateur car les graines décortiquées deviennent rances rapidement.

- Éviter d'acheter les graines de tournesol déjà grillées et salées car souvent elles ne sont pas fraîches. Faites-le vous-mêmes.

- Ajouter aux salades, à la sauce à spaghetti, à la pâte à crêpe, aux biscuits, aux céréales du matin; consommer en collation.

CHAPITRE X

La germination

Le germe c'est la vie! Un aliment vivant par excellence! Une fois la germination intégrée à nos habitudes alimentaires, notre santé prend un coup de mieux!

QUELS SONT LES AVANTAGES DE LA GERMINATION?

- Augmente la valeur nutritive et facilite la digestion.
- Fabrique gratuitement des vitamines!! La teneur en vitamines A, B, C et E augmente de 4 à 10 fois (1). De nombreuses enzymes y sont activées.
- Rend les minéraux plus assimilables.
- Prédigère les aliments: l'amidon commence à se transformer en sucres plus simples, donc plus assimilables.
- Améliore la qualité des acides aminés essentiels. Ex.: la lysine (acide aminé essentiel déficient des céréales) augmente de 24%.
- Régénère l'organisme, libère l'énergie latente des grains.
- Permet de manger une plante immature contenant des facteurs anti-cancérigènes.
- Un procédé économique, écologique, agréable, généreux en nutriments et en rendement, et tellement simple!
- Comble les carences de l'alimentation en pays nordique.
- Une alternative à la cuisson; c'est vivant, c'est frais!

- Une activité éducative pour les petits... et les grands!

QUOI FAIRE GERMER?

Tout grain VIVANT germe: céréales, légumineuses, graines.

1. Céréales et légumineuses

- Permet de consommer crus le blé, le seigle, les lentilles, les fèves mung, etc.
- Diminue le temps de cuisson des fèves soya et des pois chiches, (1/2 heure au lieu de 2 heures et plus).

Les lentilles vertes ou brunes germent bien et vite; les lentilles rouges ne germent pas car elles sont décortiquées.

ÉTUDE: A) **d'une céréale (blé)**

              B) **d'une légumineuse (luzerne)**

A. **Le blé germé**

Nous parlerons strictement de germination en pot. L'herbe de blé (blé germé sur terreau) sera expliquée dans le Tome II.

- Nourriture de choix pour l'individu surmené, le convalescent, la femme enceinte, celle qui allaite et l'adolescent.
- Il faut bien le mastiquer et en consommer des petites quantités à la fois. Essayer aussi le pain de blé germé.
- Son goût sucré rehausse beaucoup de plats.
- Cure de revitalisation: mastiquer 2 c. à soupe par jour, pendant 3 semaines (2 c. à thé pour les enfants).
- Le blé germe en 48 heures. Consommer le blé lorsque son germe est de la même longueur que le grain; en grandissant il devient plus sucré.

VALEUR NUTRITIVE

- La germination augmente sa teneur en vitamines A (provitamine), B, C, E, K.
- Il est considéré comme une très grande source de vitamine E.

- Une forte augmentation des minéraux est enregistrée. (2)(3).

B.   La luzerne germée

La luzerne germée: un aliment complet et précieux.

VALEUR NUTRITIVE

- Excellente source de vitamines, minéraux et acides aminés essentiels.
- Source de chlorophylle durant l'hiver.
- Des expériences ont démontré que la luzerne stimule la lactation, combat les chaleurs de la ménopause et soulage l'arthrite.
- La luzerne donne de la verdure tout comme le fenugrec, le cresson, les épinards et les radis.
- La luzerne est une richesse alimentaire dont on ne peut se priver. L'ajouter dans les salades, les sandwiches, les soupes, les jus, les sauces à salade.
- La luzerne germée plaît beaucoup aux enfants.

En hiver, mangeons très souvent de la luzerne. La faire germer soi-même: économique et inspirant!

2. Graines

Chou

Faire germer avec la luzerne et le radis. Bonne source de vitamine C.

Fenugrec

- Même famille que la luzerne: papilionacée, sous-famille de légumineuses.
- Jeunes pousses au goût piquant, s'adoucissent au fur et à mesure que le germe grandit.

Radis

- Goût piquant; faire germer en petites quantités avec la luzerne.

- Efficace pour nettoyer le foie.

Sésame

- Les graines décortiquées ne germent pas.
- Les graines entières donnent un germe au goût très prononcé.

Tournesol

- Les graines décortiquées germent en pot.
- Consommer ces petits germes au goût délicieux dès qu'ils sont prêts car ils ne se conservent pas longtemps.
- Très haute valeur nutritive.
- Les graines non décortiquées germent sur terreau ("Tome II").

Graines mucilagineuses

- Lin, moutarde, cresson, etc.: goût prononcé.
- Germent différemment: sans trempage, ni rinçage.
- Placer les graines serrées sur un moustiquaire tendu au-dessus d'un récipient pour recevoir l'eau ou dans un germoir; les asperger souvent; et ça pousse... et c'est tellement bon!
- Décorent à merveille le centre d'une table; un régal pour les yeux et pour l'estomac!

UTILISATION DES GERMES

Consommer crus autant que possible, afin de conserver le maximum de valeur nutritive.

Crus

- Excellentes salades nutritives, pour l'hiver, en combinaison avec différents légumes-racines râpés ou autres. Les graines de tournesol germées conviennent très bien dans une salade de fruits ou un yogourt.
- Ajouter aux sandwiches, soupes, sauces, casseroles, etc.
- Le mélangeur devient un excellent moyen d'en consommer davantage! Liquéfier les germes avec sauces à salades, soupes, casseroles, etc.
- Pour augmenter la valeur nutritive des jus: lentilles ger-

mées et jus de tomate; luzerne germée et jus de tomate ou d'orange ou d'ananas; etc. Place à l'imagination!

Cuits

- Savoureux dans le "chop suey", le "chow mein" et diverses casseroles aux légumes.
- Ajouter à la pâte à pain ou à biscuits (blé, seigle, tournesol).
- Utiliser dans les plats principaux, à la place des grains entiers: la quantité, le temps de cuisson et la qualité changent.

*Utiliser l'eau de trempage comme bouillon pour vos soupes, sauces, boissons.

MÉTHODE DE GERMINATION

Ce que ça prend:

- un pot de verre à large ouverture,
- un morceau de moustiquaire ou de tissu genre "mousseline",
- un endroit sombre et chaud,
- de la bonne eau, de l'air... et des graines!

Comment on s'y prend:

1. Trier les graines, si possible. Les graines endommagées ne germent pas.
2. Couvrir entièrement le fond du pot (3-4 épaisseurs) avec les graines.
3. Fixer le moustiquaire ou le morceau de tissu sur l'ouverture du pot.
4. Laver soigneusement à l'eau tiède et égoutter.
5. Après le lavage, faire tremper dans 3 fois le volume d'eau tiède, de 3 à 15 heures, selon la grosseur de graines. En général on laisse tremper toute une nuit.
6. Le matin, vider l'eau de trempage.
   *on peut utiliser celle-ci pour cuisiner ou pour arroser les plantes.
   *l'eau de trempage des légumineuses ne doit pas être utilisée pour cuisiner car elle donne des gaz.

7. Bien rincer à l'eau tiède et égoutter PARFAITEMENT.
   *souvent un mauvais égouttage peut causer des problèmes de pourriture!
8. Placer votre pot incliné à 45° ou à plat sur le côté, dans un endroit sombre (linge par-dessus en laissant l'orifice libre pour l'air) et à la température de la pièce.
9. Rincer 2 fois par jour (matin et soir).
10. Rejeter le maximum des écorces qui se détachent (surtout mung, luzerne); elles flottent à la surface de l'eau, lors du rinçage.
11. Après quelques jours, selon la variété de graines, la chaleur et le nombre de rinçages, les germes sont prêts (voir tableau).

GERMINATION

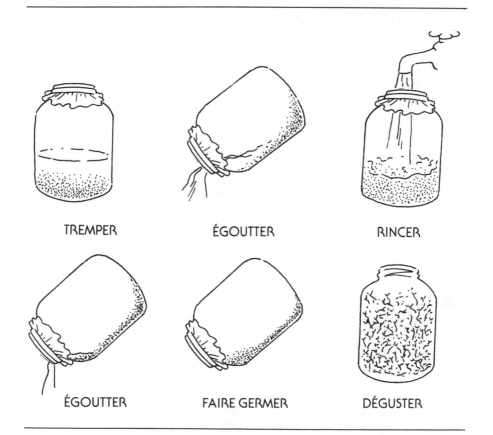

TREMPER ÉGOUTTER RINCER

ÉGOUTTER FAIRE GERMER DÉGUSTER

QUELQUES PARTICULARITÉS À CONNAÎTRE

1. À propos de la luzerne

Faire germer nous-mêmes notre luzerne quotidienne est un geste simple, agréable et rentable.

- La luzerne doit être rincée 2 fois par jour au début et seulement 1 fois par jour à partir du 3e jour. Elle sera ainsi plus croustillante et se conservera mieux.

- Pour germer, la luzerne a besoin d'une température plus fraîche (16°C (65°F)) que les autres graines.

- Pour une luzerne bien développée et qui se conserve plus longtemps, on recommande de lui donner un ''bain''.

BAIN

BAIGNER ET ÉCORCER

ÉGOUTTER

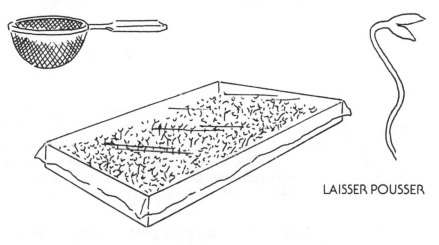

LAISSER POUSSER

- Après 3 ou 4 jours de germination, lorsque la "majorité" des écorces sont tombées et qu'on voit les deux petites feuilles, sortez les germes du pot, mettez-les dans un grand bol rempli d'eau tiède et agitez-les délicatement avec la main.

- Les écorces vont remonter à la surface et il ne reste plus qu'à les enlever à l'aide d'un tamis ou à la main.

- Égouttez ensuite les germes dans un tamis et placez-les alors dans un plateau plutôt que de les remettre dans le pot. Les plateaux en plastique vert et troués, vendus pour les semis, conviennent parfaitement. Recouvrez la luzerne d'un plastique transparent et perforez-le de place en place pour créer l'effet d'une serre. Ce procédé stimule la croissance, la formation de la chlorophylle, tout en évitant le dessèchement des germes.

- Placez le plateau dans un endroit éclairé, mais pas en plein soleil. Un ou deux jours plus tard (pas besoin d'arroser), les germes de luzerne seront prêts: magnifiques et savoureux.

- Ils se conservent très bien dans un contenant bien fermé au réfrigérateur. N'oublions pas d'en manger tous les jours.

Ce petit rituel, que les enfants adorent faire, est le même pour les graines de radis, le chou et le trèfle rouge.

2. À propos de la fève mung

- Utiliser un grand pot à large ouverture car c'est plus facile de les bouger délicatement lors du rinçage afin de permettre aux écorces de remonter à la surface et de les enlever.

- Pour obtenir des germes plus longs et plus gros, remplacer le pot par un contenant troué ou une passoire. Placer ensuite une assiette surmontée d'un poids sur les fèves, ce qui offre une résistance aux germes pendant leur croissance et les stimule à pousser davantage! Cette technique n'est pas essentielle; c'est simplement une question de goût!

- La mung aime être rincée à l'eau plus que tiède! Environ 20° C (80° F).

- De plus, si on la rince 4 fois par jour elle germera plus vite, sera plus sucrée et croustillante.
- Attention à la lumière qui fait brunir le germe.

3. Propos variés

- Lors de la germination du blé et du radis, il se développe parfois une petite mousse blanche; elle est inoffensive. Il suffit de rincer pour l'éliminer.
- Le millet, l'avoine et l'orge entiers, c. à d. avant le décorticage de leur première écorce, germent bien en pot et sur terreau.
- Les pois entiers germent.
- Pour la fève soya et le pois chiche, rincer fréquemment et BIEN égoutter.
- Faire germer peu de fèves ou de pois à la fois dans un même pot, afin d'avoir une bonne aération.

4. À propos du rejuvelac

- C'est l'eau de trempage du blé, légèrement fermentée.
- Sa préparation, sa composition et son utilisation sont expliquées en détail dans le "Tome II".

Cependant, pour ceux et celles qui aimeraient l'essayer dès maintenant, voici un bref résumé des explications données au Tome II. Histoire de vous mettre "le rejuvelac" à la bouche!

RECETTE:

- Recouvrir le blé mou germé (entier ou broyé) de 3 fois son volume d'eau.
- Laisser reposer (fermenter) de 24 à 36 heures à la température de la pièce.
- Égoutter et consommer l'eau devenue rejuvelac; conserver au réfrigérateur. (suite page 124)

TABLEAU D'INDICATION POUR LA GERMINATION EN POT

Graines	Temps de trempage (heures)	Rincer par jour	Prêtes en	Aspect du germe
Blé dur et mou	8	2	36-48 h	de la longueur du grain
Seigle	8	2	36-48 h	plus court que le grain
Adukis	8-12	3	4 jours	1 po (2 1/2 cm)
Mung	8-12	4	4 jours	1 1/2 po (4 cm)
Pois chiches	15	3-4	3 jours	1/2 - 1 po
Soya	15	3	3 - 5 jours	de la longueur de la fève
Lentilles	8	2	3 jours	son écorce est détachée, petites feuilles se forment au bout du germe
Luzerne	5-8	2	5-6 jours	son écorce est tombée, 2 petites feuilles apparaissent
Radis	5-8	2	5-6 jours	son écorce est tombée, 2 petites feuilles apparaissent
Fenugrec	6-8	2	5-6 jours	1 1/2 po (4 cm)
Tournesol	8	2	36-48 h	Le germe pointe, la graine s'ouvre
Amandes	8	2	2 jours	le germe pointe

Saveur	Commentaires
sucrée	si trop germé, trop sucré. Le sécher, le moudre = malt.
doux	céréale du matin: au mélangeur avec eau chaude
noisette	diurétique
pois verts	voir détails dans ce chapitre
diluée	le cuire 30 min.
noix	cuire 30 min., utiliser rapidement
pomme de terre crue	verdir ses feuilles q.q. hres à la lumière
douce	voir détails dans ce chapitre
piquante	comme la luzerne
piquante	verdir ses feuilles q.q. hres à la lumière
délicieuse jeune	consommer aussitôt prêt. Se conserve mal
amande	plus digestible

VOUS AVEZ UN PROBLÈME DE POURRITURE?

On trouve la cause et on recommence!

- La plupart du temps cela est dû à un excès d'humidité: mauvais égouttement.
- Manque d'air: trop de grains dans le pot.
- Graines trop vieilles ou de mauvaise qualité: pensons BIO.
- Qualité de l'eau - qualité de nos soins.

- On peut répéter la même opération une deuxième fois avec les mêmes grains.

  Le rejuvelac "réussi" a une odeur et une saveur agréables, légèrement acide.

UTILISATION

- Boire nature ou avec du jus (pour le passer aux enfants)
- Incorporer aux soupes, aux sauces.
- Utiliser pour faire du yogourt de noix (voir Tome II).

VALEUR NUTRITIVE

- Contient des bactéries lactiques, des enzymes et des vitamines B.
- Facilite la digestion et nourrit la flore intestinale de bactéries saines, ce qui augmente l'immunité naturelle.

UNE BONNE NOUVELLE:

Une invention québécoise prend son envol:

BIOGERME

Un nouveau germoir qui facilite le processus de germination à domicile comprenant:

- un pot de 4 litres en polyéthylène: un plastique transparent de grade alimentaire, recyclable et très léger.

- un couvercle avec plusieurs treillis conçus de façon à laisser passer les écorces des différents grains.
  Un gain appréciable: le rinçage auto-nettoyant.
  Avec BIOGERME, adieu les bains pour la luzerne!

- Un support, une housse bref tout ce qu'il faut pour s'adonner aux joies de la germination en pot.

  Demandez le BIOGERME dans les magasins d'aliments naturels.

CHAPITRE XI

Les fruits

CATÉGORIES

- **Fruits doux:** bananes, dattes, figues, raisins mûrs, fruits secs, etc.
- **Fruits semi-acides**: pommes, abricots, baies, pêches, poires, etc.
- **Fruits acides:** citrons, oranges, pamplemousses, ananas...
- L'avocat et l'olive sont les seuls fruits riches en lipides (graisses). Les consommer modérément, car très calorifiques. L'avocat est un fruit neutre se combinant avec les fruits ou les légumes. Son goût est très délicat. On le sert tel quel avec un peu de jus de citron, ou en trempette, sauce, etc. L'olive noire (mûre) nous réjouit dans les salades, les plats de céréales, les trempettes, etc.

VALEUR NUTRITIVE

- Excellente source de vitamines, de sels minéraux et d'eau.

  Ex.: vitamine A = fruits jaunes comme la pêche, le cantaloup, l'abricot, le brugnon (angl.: nectarine), etc.

  vitamine C = agrumes, fraises. L'acidité de ces fruits permet une bonne conservation de la vitamine C.

  Les agrumes contiennent du calcium; les bananes du potassium; les fruits séchés du fer, etc.

- Source de fructose, sucre simple directement assimilable. 10-20% pour les fruits frais, 60-70% pour les fruits séchés.

- Source de fibres alimentaires dont la cellulose et la pectine; facilite donc le transit intestinal. De plus, la pectine (pomme) contribue à diminuer le taux de cholestérol sanguin.

Manger de 2 à 3 fruits par jour, incluant un fruit acide (vitamine C) et une pomme (pectine) fait partie d'une saine alimentation. Comme le dit si bien le dicton populaire anglais: "An apple a day keeps the doctor away", manger une pomme par jour est une garantie de santé.

CONSOMMER DES FRUITS:

- assure une bonne source de vitamines, minéraux, fibres et eau.
- Désintoxique, évite les surcharges alimentaires.
- Ne demande pas de préparation culinaire.
- Augmente notre consommation de crudités.
- Peut nous aider à changer certaines habitudes: dessert sucré, grignotage, café, cigarette.

COMMENT MANGER LES FRUITS?

Crus, mûrs, entiers, plutôt qu'en jus, conserve ou confiture.

QUAND?

- En saison.
- Le matin, au début du déjeuner, après 1 ou 2 verres d'eau!! Cela permet de poursuivre l'effet de désintoxication de la nuit.
- En collation ou avec du yogourt (déjeuner, dessert).

Pendant l'été et l'automne, consommons les fruits frais en abondance. Pendant la froidure, les fruits séchés sont indiqués et bien sûr la pomme, fruit de nos régions qui se conserve bien en caveau.

NOTE: En général, les fruits qu'on retrouve sur le marché sont de culture non biologique et remplis d'insecticides et même de paraffine, concentrés sur la pelure. **Toujours brosser** soigneusement à l'eau citronnée ou vinaigrée. Recherchons et exigeons des fruits de culture BIOlogique.

CONSERVATION:

Les fruits se conservent au froid mais doivent se consommer mûrs et à la température de la pièce. En avoir toujours de prêts, dans un panier non exposé à la lumière directe.

À PROPOS DES JUS

- Afin d'habituer les enfants... et les grands à boire de l'eau et à manger des fruits frais, il est préférable de ne servir des jus qu'occasionnellement.

- Les pots de jus ne doivent pas rester ouverts, ni traîner sur le comptoir; la vitamine C est sensible à l'air, à la chaleur et à la lumière.

- Un jus frais, préparé à l'extracteur, s'oxyde rapidement au contact de l'air. Il faut le boire sans tarder. Souvent les "dessous de verre" utilisés pour protéger le mobilier seraient plus utiles placés "sur" le verre. La santé, ça se protège également!

- Autant que possible, utiliser des jus frais ou des jus reconstitués à partir de concentrés sans sucre dilués dans de la bonne eau de source.

- Éviter à tout prix les boissons gazeuses et les boissons à saveur de jus. Bien lire les étiquettes: de l'eau, du sucre, des additifs, des colorants et, dans certains cas, de la caféine.

Souvenez-vous que les habitudes, les bonnes comme les mauvaises, se prennent jeune!

Les fruits séchés

VALEUR NUTRITIVE

- Bonne source de vitamines A et B, de fer, de calcium et de fibres.

- La déshydratation concentre les sucres. À manger modérément.

- Faire tremper avant de consommer afin de déconcentrer leur teneur en sucre.

- Généralement sulfurés pour la conservation. Dans les coopératives et les magasins d'aliments naturels, on peut trouver des fruits séchés "N.S./N.F." (c. à d. non sulfurés, non fumigés). Acheter ceux-ci de préférence.

VARIÉTÉS

Abricots:

- Abricots N.S./N.F., de couleur brune et plus secs
- Abricots sulfurés, de couleur orangée et plus pulpeux.
- Réhydratés, les abricots N.S./N.F. n'ont rien à envier aux abricots sulfurés et ils sont plus sains.

Dattes:

- Consommer avec modération un des fruits séchés les plus sucrés.
- On en trouve des BIO. N.S./N.F., à consistance molle.

Figues:

- On en trouve des non-traitées.
- Des cristaux de sucre peuvent se former à la surface des fruits, ceci n'affecte pas la qualité.

Pruneaux:

- Les pruneaux séchés proviennent de prunes bleues ou pourpres.
- On en trouve des BIO N.S./N.F.
- Laxatif doux: tremper 3-4 pruneaux le soir, les déguster le matin, inutile de faire cuire.

Raisins:

- On en trouve des BIO N.S./N.F.: Les "Thompson".
- Il existe aussi les raisins Sultanas, de Corinthe, de Malaga.

Autres fruits séchés: pommes, poires, pêches.

UTILISATION

- Utiliser de préférence **après trempage**. Savoureux, moins sucrés, plus faciles à mastiquer; à manger tels quels.
- Laver, tremper dans l'eau froide environ 8 heures, liquéfier au mélangeur avec l'eau de trempage (si N.S./N.F.) ou du jus ou de l'eau.

- Si désiré, ajouter des noix, des amandes trempées ou une pomme fraîche, etc. Laissez libre cours à votre imagination, le résultat sera superbe!

- Dépendant de la consistance, on obtient aussi d'excellentes sauces, mousses ou beurres à servir avec fruits, yogourts, crêpes, muffins, gâteaux, à utiliser comme garniture pour tarte ou compote pour bébé.

- Peut remplacer sucre et confitures.

CONSERVATION ET QUALITÉ

- Ce sont de véritables conserves naturelles pour l'hiver.

- Rechercher la qualité BIOlogique, non sulfuré, non fumigé.

- À conserver au frais, à l'abri de la lumière et de l'air, dans des contenants en verre.

CHAPITRE XII

Les légumes

CATÉGORIES

- **Légumes-fruits:** aubergine, concombre, courge, poivron, tomate, etc.
- **Légumes-fleurs:** artichaut, brocoli, chou-fleur, etc.
- **Légumes-feuilles:** chicorée, épinard, laitue romaine, scarole, etc.
- **Légumes-tiges:** asperge, bettes à carde, céleri, etc.
- **Légumes-racines:** betterave, carotte, céleri-rave, navet.
- **Tubercules:** pomme de terre, topinambour, etc.
- **Bulbes:** ail, oignon, poireau, etc.

VALEUR NUTRITIVE

- Les légumes fournissent peu de calories.
- Excellente source de vitamines A, B, C et de minéraux dont le fer et le calcium (légumes verts).
- Riches en fibres alimentaires et en eau.

Manger 3 portions par jour, dont au moins une portion de légume vert foncé. Une portion équivaut à 125 ml (1/2 tasse), 250 ml (1 tasse) dans le cas des légumes-feuilles.

Pour augmenter la consommation de légumes:

- commencer le repas par des crudités,
- servir toujours des légumes d'accompagnement,
- déguiser les légumes en collation pour les enfants.

La principale valeur nutritive des légumes verts réside dans leur grande teneur en provitamine A (carotène), en vitamine C et en acide folique. Ces éléments nutritifs sont absents dans les céréales.

Ce chapitre présente une description sommaire de quelques légumes, les plus couramment employés. Dans la section "Pratique", vous trouverez un grand nombre d'idées sur la manière d'apprêter les légumes.

Les légumes-feuilles

VARIÉTÉS:

Laitue, chicorée, cresson, épinard, romaine, scarole, etc. Durant l'hiver, ne pas oublier les germes en pot et sur terreau, servis sous forme d'abondantes salades au début du repas.

Du vert, à chaque repas, pas cher, plein de fer, oui mon cher!!

- Les choisir le plus foncé possible. Source de protéines de bonne qualité.
- Riche en provitamine A (la chlorophylle masque la couleur de la carotène), en vitamine B (dont l'acide folique), en vitamine C, en calcium et en fer.
- Miser sur le vert foncé, c'est un gage de santé! Vive le vert!
- Le jus de citron ajouté aux légumes verts permet une meilleure conservation et assimilation de la vitamine C. Cette vitamine est nécessaire à l'absorption du fer.

Les légumes-fleurs

- **Artichaut:** à découvrir
- **Brocoli: un légume de choix** par sa valeur nutritive (protéine, vitamines A, C, calcium).

- **Chou-fleur**, etc.
- Servir crus, comme collation ou au début du repas, ou cuits, nature ou en sauce.

Les légumes-fruits

- **Aubergine**: légume d'automne (ratatouille)
- **Concombre**: rafraîchissant, forte teneur en eau.
- **Courge**: versatile et nutritive. Voir détails ci-dessous.
- **Haricot**: délicieux à la vapeur.
- **Pois verts**: superbes crus ou cuits.
- **Poivrons rouge et vert**: nutritifs, délicieux crus.
- **Tomate**: en saison, s'en régaler.

LES SERVIR CRUS LE PLUS SOUVENT POSSIBLE!

Les courges

- D'excellents légumes-fruits, de la famille des cucurbitacées.
- Nourrissantes et de digestion facile (sucres simples).
- Grande variété: cantaloup, concombre, cornichon, courgette ou zucchini, courge spaghetti, courge à chair jaune et courge d'hiver (butternut, buttercup, courge poivrée, citrouille ou potiron, etc.).
- Les courges d'hiver se conservent longtemps dans un endroit frais, loin de l'humidité.

VALEUR NUTRITIVE

- Contiennent peu de calories, peu de protéines, quelques glucides (sucres simples), beaucoup de vitamines (A, B et C), des minéraux (phosphore, potassium, calcium) et des oligo-éléments (magnésium, fer, cuivre, manganèse, zinc).
- Dépuratives et diurétiques.

UTILISATION

- Crues, c'est délicieux! Il faut essayer la salade de citrouille finement râpée.

- Coupées en dés et sautées dans le wok avec d'autres légumes et du tofu.

- Cuites entières au four à 180°C (350°F) de 45 à 60 minutes ou coupées pour accélérer la cuisson et récupérer ainsi les graines crues.

- Utiliser dans les gâteaux, biscuits.

- Couper en gros morceaux et cuire à la vapeur sans peler; enlever la peau après la cuisson si nécessaire; pour les soupes ou purées.

- Les graines séchées et assaisonnées d'un peu de tamari sont délicieuses; ou séchées et moulues les ajouter à vos plats.

Les légumes-racines

- Culture adaptée à notre climat. Se conservent bien en caveau. On les consomme surtout l'hiver.

- Aliments énergétiques suivant leur teneur en glucides (amidon et sucre).

- Riches en vitamines, minéraux, fibres.

- Servir crus, en salade et comme collation, ou cuits.

Betterave

- Contient des sucres naturels, vitamines B, C, minéraux et une couleur charmante qui rehausse la saveur et l'apparence des plats.

- Râpée finement, servir en salade ou dans un sandwich; râpée grossièrement, sauter à la poêle ou au four. Un délice!

- On en fait de délicieuses lacto-fermentations. (Voir Tome II).

- Les feuilles de betteraves se consomment en salade (provitamine A et calcium).

Carotte

- Source de provitamine A, de calcium, de fibres dont la pectine.

- Régularise les intestins; efficace autant contre la constipation que contre la diarrhée (pectine).
- Servir crue, entière, coupée ou râpée finement en salade ou dans un sandwich. Servir également cuite. Fait d'excellents jus.

Céleri-rave

- Nutritif, délicieux goût de céleri, bon cru et cuit. À découvrir.

Rutabaga (également connu sous le nom de Chou de Siam) et le navet

- Bonne source de calcium et de vitamines.
- Servir cru en bâtonnet ou râpé; cuit à la vapeur ou au four (avec ou pour remplacer les pommes de terre), en soupe.
- Si vous avez un potager, utiliser les feuilles fraîches crues à la vapeur. Elles sont riches en vitamines A, B, C, calcium, fer.
- La pulpe du rutabaga est jaune tandis que celle du navet est blanche.

Panais

- Racine longue et d'un blanc crème. Produit un effet diurétique.
- Servir cru ou cuit, de préférence à la vapeur ou à l'étouffée car il absorbe l'eau facilement. Penser à l'ajouter dans les salades, soupes, tartes aux légumes, etc.

Radis

- Source de vitamine C et iode.
- Effet dépuratif sur le foie.
- Variétés: radis rouge, noir, blanc.
- L'hiver, les germes de radis ajoutent du piquant à nos salades et sandwiches.

Les tubercules

Pomme de terre

- Aliment énergétique et nourrissant à cause de sa teneur en amidon.

- Bonne source de vitamine C (**ATTENTION: vitamine soluble dans l'eau!**), de minéraux (fer, calcium, magnésium, potassium).

- Ne pas consommer les pommes de terre crues (trop concentrées en amidon); ni celles qui ont verdi. La couleur indique la présence de solanine (toxique) qui se développe lorsque les pommes de terre sont exposées à la lumière.

- **Éliminer le trempage et la cuisson à l'eau pour éviter la perte des vitamines solubles dans l'eau (B et C) et des minéraux. UNE HABITUDE À MODIFIER.**

- **Toujours cuire avec la pelure** et en entier, au four ou à la vapeur. Plus on coupe, plus on perd de vitamines. Peler après la cuisson si nécessaire.

- Pour la cuisson au four, le papier aluminium n'est pas essentiel. Simplement piquer et cuire à 180°C (350°F) de 25-40 minutes selon la grosseur.

- Bon légume, cependant n'oublions pas de varier.

Patate douce

- Très forte teneur en provitamine A.
- Même mode de cuisson que la pomme de terre.

Topinambour (artichaut de Jérusalem)

- Légume moins connu, s'utilise comme la pomme de terre.
- De culture facile, résistante et prolifique.
- Peut se manger cru car moins amidonné que la pomme de terre.

Les bulbes

Ail

- Un antiseptique naturel. Contient du soufre.
- Purificateur du sang, combat les infections.
- Très bon pour les intestins et les reins.
- Consommer cru ou légèrement sauté; sa saveur rehausse tous les plats. Un atout dans la cuisine.

Oignon

- Un antiseptique également.
- Excite les sécrétions des glandes digestives... et lacrymales.
- Servir cru ou cuit à la vapeur, sauté ou au four avec sa pelure.

Poireau

- Doux et alcalin.
- Diurétique et de saveur subtile; consommer cru ou cuit.
- Ne pas oublier d'utiliser la partie verte (chlorophylle).

Tous ces légumes-racines se consomment sous forme d'excellentes salades crues au cours de l'hiver, de purées, de soupes, de plats au four servis avec sauce. Gratinés, ils constituent alors le plat principal d'un repas léger.

Ne pas oublier de consommer les feuilles, fanes ou queues de ces légumes; ce sont des délices nutritifs.

Comment manger nos chers légumes?

- Autant que possible, cultiver ses propres légumes; sinon les acheter d'un producteur biologique car il en existe de plus en plus.

- **Mangeons nos légumes en saison:**
  - Beaucoup de légumes-feuilles, de légumes-fruits et de légumes-fleurs l'été et l'automne.

- L'hiver, les germes suppléent au manque de verdure; de même, tous les légumes-racines, les courges, les choux, etc. Suffisamment pour se satisfaire!

• Les vitamines sont fragiles à l'eau et à la chaleur. Éviter les légumes en conserves qui ont perdu la majeure partie de leur valeur nutritive. Les légumes congelés ou déshydratés sont préférables: pour faire changement et apporter un peu de couleur ou un élément surprise, mais non comme base de notre consommation hivernale.

• Râper finement les légumes-racines facilite la mastication, la digestion et l'assimilation; cependant, les légumes coupés ou râpés s'oxydent rapidement au contact de l'air qui détruit les vitamines, particulièrement la vitamine C. On prépare donc ses crudités juste avant de les servir.

UNE BONNE HABITUDE À DÉVELOPPER:

• recouvrir nos légumes d'un linge une fois terminée chaque étape de la préparation. Une salade en attente devrait toujours être à l'abri de l'air et au frais. On dévoile à la dernière minute, pour la surprise!

• le jus de citron est également un bon allié contre l'oxydation.

MÉTHODES DE CUISSON:

Si on veut des légumes cuits, il ne faut pas oublier que:

• La cuisson à grande eau entraîne une perte de vitamines et de minéraux. La saveur est également altérée.

• Brosser les légumes plutôt que les peler et recycler l'eau de cuisson des légumes, s'il y a lieu, lors de la cuisson à la vapeur.

• Varier les méthodes de cuisson, c'est une excellente idée!

• Peu importe la méthode utilisée, les légumes doivent rester croquants afin de préserver la valeur nutritive au maximum!

À l'eau

• La cuisson à grande eau, c'est la tradition au Québec. Et pourtant, c'est une des méthodes les moins efficaces.

Dorénavant, faire bouillir les légumes dans les soupes seulement; et encore! À feu doux. (Voir: autres façons de faire la soupe dans la section ''Pratique'').

À l'étouffée

- Cuire les légumes sans eau, sur un lit d'oignons dans un chaudron avec un couvercle lourd (pour ne pas que la vapeur s'échappe). Les légumes cuisent ainsi dans leur propre jus. Conserve bien les nutriments.

- On peut mettre 2 c. à soupe d'eau ou d'huile pour amorcer la cuisson.

Au four

- Convient bien aux légumes-racines, courges et oignons.

- Avec leur pelure, sur la grille (enveloppé ou non de papier aluminium) ou dans un plat couvert et contenant juste assez de liquide ou d'huile pour les empêcher de coller. Très bonne méthode!

En friture

- Plus indigeste!

- Il y a les frites, que tout le monde connaît, et les tempuras (tremper des morceaux de légumes dans une pâte légère et frire dans l'huile quelques minutes).

Sautés

- Chauffer un wok ou une poêle à feu vif, ajouter un peu d'huile, 15 ml (1 c. à soupe) suffisent et faire sauter les légumes 5 minutes en remuant constamment.

- Poursuivre la cuisson à feu moyen.

- On peut ajouter un peu d'eau et couvrir pour terminer la cuisson si nécessaire.

- On peut sauter les légumes à l'eau pour ceux-celles qui veulent éviter les corps gras. Saveur différente.

- À la fin de la cuisson, ajouter de la fécule diluée dans un peu d'eau pour donner une apparence brillante aux légumes. Savoureux et appétissant! Assaisonner et servir sur des céréales ou en accompagnement.

NOTE: **Wok**: la forme évasée et le fond rond de ce chaudron chinois en font l'ustensile pratique et approprié pour ce genre de cuisson: requiert moins d'huile, capte bien la chaleur, permet de brasser sans ''répandre tout autour'', sert de plat de service, etc. Un bon achat.

À la vapeur

- Placer une marguerite en acier inoxydable dans un chaudron ou un cuit-vapeur en bambou dans un wok.

- Ajouter un peu d'eau, couvrir et porter à ébullition.

- Déposer les légumes lorsque l'eau bout (évite la perte de nutriments).

- Afin de conserver la couleur découvrir seulement lorsque la cuisson est terminée et servir immédiatement.

- Ajouter une pointe d'ail à l'eau pour donner plus de saveur aux légumes.

L'ART DE COUPER LES LÉGUMES

- Laver à l'eau froide avec une brosse à légumes.

- **Ne pas tremper dans l'eau** (perte de vitamines et minéraux); pour les brocolis et choux-fleurs, écarter les bouquets sous un filet d'eau. Couper les poireaux sur toute leur longueur pour bien enlever la terre.

- **Ne pas peler les légumes ni les gratter**. Peler après la cuisson, si nécessaire, car les vitamines et les minéraux se concentrent près de la pelure.

- Ne pas couper les légumes sur une planche utilisée pour la viande à cause des bactéries, comme la salmonelle, qui pourraient s'y trouver.

- Rincer la planche de bois et le couteau sous l'eau froide entre chaque sorte de légumes à couper afin de ne pas mélanger les saveurs.

- Le type de cuisson ainsi que le temps de cuisson désiré détermineront la façon de couper les légumes: petits morceaux = cuisson rapide.

La **présentation** stimule l'appétit. D'un repas à l'autre, **varions** les coupes, les couleurs, les variétés de légumes.

ASSAISONNEMENTS

Algues en poudre

- source supplémentaire de minéraux. A l'aspect du poivre.

Fines herbes

- basilic, cerfeuil, estragon, origan, persil, thym, etc.

Paprika

- variété de piment doux; contient vitamine A. Belle couleur rouge orangé. Ajouter en fin de cuisson.

Graines d'anis et autres épices

- Utiliser en petite quantité, à l'occasion.

Citron

- savoureux sur les légumes verts et dans les sauces à salade avec de l'huile et de l'ail.

Gingembre

- bon condiment, ajoute beaucoup de saveur aux légumes. Utiliser frais et râpé.

Ail

- bulbe utilisé comme condiment. Cru dans les sauces à salade.

NOTES: Utiliser le persil, en abondance, en raison de sa valeur nutritive (fer et vitamine C) et de sa saveur agréable. Couper finement et servir en salade. Ou liquéfier au mélangeur avec du jus, ou une sauce à salade, ou une soupe, etc. Encore une fois, il suffit d'y penser et de le faire.

Et le vinaigre lui?

- Il est le produit d'une fermentation acétique à partir du fructose des fruits. Première fermentation: lactique, deuxième: alcoolique, troisième: acétique.
- Le vinaigre irrite le tube digestif.
- Pour faire les mayonnaises et les sauces à salades, utilisons donc le jus de citron. La "vinaigrette" devient "la sauce à salade".

- Au lieu des marinades… essayons les lacto-fermentations (voir "Tome II").

À PROPOS DES ALGUES (véritables légumes aquatiques)

- On étudiera en détail les algues, ces légumes aquatiques, dans le Tome II. Cependant il est si simple de les incorporer à son alimentation et tellement salutaire que voici une courte présentation dès maintenant.
- Sources de minéraux (calcium), oligo-éléments (fer, iode), vitamines, protéines (surtout le nori).

Aramé et hiziki

- petits filaments noirs. Laver, tremper 5-15 minutes et servir. Goût très doux. À incorporer aux salades, aux plats de nouilles, dans la soupe ou consommer comme légume d'accompagnement.

Dulse

- semblable à des croustilles rouges. Laver, tremper quelques minutes et servir. Délicieux avec gomashio (voir recette), béchamel, etc.

Nori

- petite feuille noire qu'on fait griller à sec au-dessus d'une source de chaleur, jusqu'à ce qu'elle devienne verte et croustillante. Émietter dans le riz, les sauces, les salades, les soupes. SAVOUREUX!

Algues en poudre

- les utiliser, c'est saler sans sel et s'assurer du même coup un apport en minéraux. Assaisonnement nutritif et savoureux, facile à utiliser.

Agar-Agar

- se présente sous forme de flocons, de poudre ou de filaments blancs. Remplace la gélatine animale.

RAPPEL

Consommer en abondance une variété de fruits et de légumes frais, chaque jour, est un moyen sûr de fournir à son organisme les vitamines, minéraux et fibres dont il a besoin. La qualité du sol où les fruits et légumes ont été cultivés, leurs mode et durée d'entreprosage ainsi que la manière d'apprêter ces denrées sont autant de facteurs qui déterminent leur valeur nutritive et, partant, la ''qualité'' de l'alimentation.

Toujours conserver les légumes au froid et à l'abri de l'air.

On peut laver et essorer d'avance les légumes-feuilles. Conserver dans un contenant hermétique. Consommer en abondance et rapidement.

On peut couper des légumes d'une manière agréable en s'amusant avec les formes et en profitant de ce moment pour relaxer, voire même méditer; on peut également considérer ce travail comme une tâche; à nous de choisir!

MANGEONS DES LÉGUMES, C'EST TELLEMENT BON!

CHAPITRE XIII

Les produits laitiers et les oeufs

Les produits laitiers

L'intérêt nutritionnel de ce groupe réside dans sa teneur en **protéines** (composées des 8 acides aminés essentiels) puisqu'ils sont d'origine animale: 3,5% dans le lait et 18 à 24% dans le fromage.

. En vitamines A et D, liposolubles donc présentes surtout dans les matières grasses (M.G.) du lait, B_2 ou riboflavine, B_{12}.

*La vitamine D est ajoutée seulement au **lait** de consommation.

• Excellence source de calcium et de phosphore. Déficience en fibre, en fer et en vitamine C.

• Le lait contient également des glucides (4,9%): le lactose. Cependant on en trouve beaucoup moins dans le fromage car ce sucre est soluble dans l'eau et se dissout donc dans le lactosérum ou petit-lait.

Les lipides des produits laitiers (3,5% dans le lait complet et jusqu'à 32% dans le fromage) sont saturés et contiennent du cholestérol (34 mg par tasse de lait).

À utiliser avec discernement, surtout si vous consommez d'autres produits d'origine animale (oeufs, viande) contenant également des acides gras saturés et du cholestérol.

RÔLE

- Source de protéines et de calcium.
- Bon complément des protéines d'origine végétale (céréales, légumineuses, noix, graines).

VARIÉTÉ

1. **Lait**
2. **Yogourt**

3. **Fromage**
4. **Kéfir**

1. Lait de vache

- Le lait est non seulement une boisson, il est également un aliment de croissance. **Si l'on boit du lait avant ou pendant un repas, l'appétit diminuera. Il est donc préférable de le boire après le repas ou comme collation.**

- Contient un taux de calcium et de protéines élevé pour le nourrisson, par rapport au lait maternel. Rien ne remplace le lait maternel!

- Ses lipides sont formés d'acides gras saturés et contiennent du cholestérol. La consommation de lait écrémé est indiquée si votre alimentation comporte une forte teneur en matières grasses.

- La lumière détruit les vitamines A et B_2 (riboflavine) du lait. Il faut donc le replacer immédiatement au réfrigérateur après s'en être servi.

- Favorise la formation de mucus. À éviter en cas de rhumes, grippes ou tout genre d'infection.

- **L'enzyme qui digère le lactose du lait est la lactase. Présent chez l'enfant il disparaît avec l'âge. Une solution: le yogourt** (voir plus loin).

- Le lait cru contient des ferments lactiques qui améliorent la digestibilité. Cependant une hygiène rigoureuse est nécessaire pour permettre la consommation du lait frais et cru car c'est un milieu propice au développement des microbes. Le lait mis en marché est pasteurisé.

- La pasteurisation détruit tous les microbes pathogènes. Ne détruit pas les résidus d'antibiotiques et de polluants.

- Le lait de chèvre est souvent employé dans des cas d'allergies ou de troubles digestifs car ses molécules de matières grasses sont plus petites que celles du lait de vache donc mieux réparties (homogénéisation naturelle), ce qui accroît la digestibilité.

De nos jours, on peut trouver du lait cru (très rare), pasteurisé, stérélisé, U.H.T., concentré sucré et non sucré, évaporé et en poudre. La composition varie selon les méthodes!

PRODUITS DÉRIVÉS

Crème:
- 35% de M.G. (matières grasses) (acides gras saturés)
- Vitamine A, peut contenir un peu de vitamine D en été.

Beurre:
- 85% de M.G. (acides gras saturés)
- Riche en vitamine A, peut contenir un peu de vitamine D en été.
- 2% de sel lorsque salé.
- Se conserve au réfrigérateur.

Poudre de lait:
- Fabriquée à partir de lait pasteurisé, écrémé pour la conservation (perte des M.G. ainsi que des vitamines A et D); obtenue "à basse température" (non-instantanée).
- Se conserve longtemps au sec et au frais.
- Choisir "non-instantanée" car a conservé la vitamine B_6 (pyridoxine) et la lysine (acide aminé essentiel), ce qui n'est pas le cas pour la poudre instantanée. On en trouve dans les coopératives et magasins d'aliments naturels.
- Sert à la fabrication du yogourt, de sauces crèmes, etc.
- Ajouté aux recettes, il en augmente la valeur nutritive.

Lait caillé:
- Moyen de conservation que nos grands-parents connaissaient.
- Des ferments lactiques se développent en 12 à 24 heures à la température ambiante.

- Ils prédigèrent le lait, ce qui convient mieux à l'adulte.

Fromage blanc
en crème:

- Filtrer le lait caillé.
- Donne un fromage doux, sans cuisson.
- Délicieux naturel ou assaisonné au goût.

Kéfir:

- Originaire du Caucase, il est encore assez peu connu et utilisé au Québec.
- Lait fermenté à l'aide d'une culture, à la température de la pièce. Produit une fermentation lactique et une très légère fermentation alcoolique 1 %.
- Digestible et simple à préparer.

Yogourt:

- Lait caillé par fermentation lactique (culture).
- Cette culture agit à 46°C (115°F), température plus élevée que pour les ferments naturels (lait caillé).
- Bon pour la flore intestinale (bactéries de fermentation).
- Goût plus acide que le lait caillé.
- M.G. varie de 1,7 % (lait écrémé) à 3,25 % (lait entier).
- Convient très bien aux adultes car il est déjà partiellement digéré par les bactéries.
- Les yogourts commerciaux aux fruits ou congelés contiennent beaucoup de sucre. Solution: faire son yogourt et rajouter soi-même des fruits. C'est si simple.

NOTES:

- Ces produits peuvent se faire avec du lait écrémé car c'est la caséine (protéine du lait) qui coagule avec le calcium.
- Le lactose se transforme en acide lactique (on passe du goût sucré au goût acidulé!) sous l'action des enzymes.
- Grâce aux bactéries lactiques et à l'acide lactique, ces produits fermentés sont supérieurs au lait en raison de:
  1. La prédigestion du lactose.

2. L'effet antibiotique et très bénéfique des bactéries lactiques sur la flore intestinale.

Fromage de yogourt:

- Verser le yogourt dans une mousseline.
- Égoutter 24 heures dans un endroit frais ou au réfrigérateur; il sera ainsi moins acide.
- Assaisonner au goût.

Fromages:

- Coagulation de la protéine du lait (caséine) provoquée par la présure suivie d'égouttage (perd le petit lait-lactosérum) et de maturation ou affinage.
- Les fromages sont des sources de matières grasses (23-30%), de protéines (18-24%), de vitamines A et B, ainsi que de calcium et phosphore.
- La teneur en eau et en lactose détermine la consistance: pâte cuite dure (35% d'humidité), pâte molle (50%), fromage frais (80%).

Fromage frais:

- Moins gras (4-20%), plus digeste, genre "cottage" (0,4-4% M.G.).
- Se consomme frais, avec des fruits, sur des crêpes, en trempette, en sauce à salade, dans les sandwiches, etc.
- Inconvénient: forte teneur en sodium (sel).

Fromage à pâte molle:

- Moisissure externe, dit à croûte fleurie; genre brie, camembert (24-26% M.G.). Les enzymes transforment le lactose en acide lactique et certaines moisissures se nourrissent de la surface vers le centre (duvet blanc). Ce sont des "bonnes" moisissures.
- Moisissure interne: genre bleu, roquefort, etc.
- Affiné en surface, recouvert d'une croûte dure allant du jaune au rouge: genre saint-paulin, anfrom, tomme, etc.

Fromage à pâte ferme:

- Égouttage et pressage plus prolongé. Plus un fromage est égoutté plus il se conserve.

- Non cuite ou mi-cuite: genre cheddar, parmesan, gouda.
- Cuite: gruyère (petits trous et surface luisante)
  emmenthal (grands trous et surface sèche).

EXEMPLE DE % DE MATIÈRES GRASSES DE CERTAINS FROMAGES

Quark 0,5 %	Brie, camembert 17 %
Cottage 0,4 % à 4 %	Gouda, oka, saint-paulin, feta 21 %
Ricotta 10 %	Parmesan 30 %
Mozzarella 16 à 22 %	Cheddar, emmenthal 32 %

Le gratin au mozzarella sera moins riche en gras que celui au cheddar. Consommer de préférence les fromages de type quark, cottage (sans crème) ou ricotta.

CONSERVATION:

- Tous les produits laitiers se conservent au réfrigérateur.
- Chambrer les fromages environ 1 heure avant de servir.
- Les fromages où apparaissent des moisissures peuvent être ''rafraîchis'' et utilisés!
- Attention à l'hygiène, les produits laitiers sont très sensibles.

Besoins quotidiens en produits laitiers

Enfants (aliment de croissance): 3 portions ou plus

Adultes (aliment complémentaire): 2 portions

(voir tableau des portions page 57)

Souvent, lorsque les gens décident de diminuer leur consommation de viande, ils consomment plus de produits laitiers et d'oeufs.

La **surconsommation** de produits laitiers et d'oeufs, comme la surconsommation de viande, peut occasionner:

- EXCÈS DE GRAS SATURÉS
- EXCÈS DE CHOLESTÉROL = **ENCRASSEMENT, DÉSORDRES**
- EXCÈS DE PROTÉINES

ATTENTION: il est conseillé de consommer ces produits de

façon MODÉRÉE. Prenons plutôt l'habitude de varier nos sources de protéines, de calcium, de vitamines B, etc.

- légumineuses (fève soya, tofu, fèves rouges, etc.)
- céréales
- noix et graines (sésame, amande, tournesol, etc.)
- algues (nori, hiziki, aramé, kombu, etc.)
- légumes (brocoli, légumes-feuilles vert foncé, etc.)

ALIMENT	QUANTITÉ 1 portion	TENEUR EN CALCIUM
Fromage "dur"	45 g (1 1/2 on.)	318 mg
Lait entier	250 ml (1 t.)	307 mg
Yogourt	175 ml (3/4 t.)	348 mg
Fèves soya	250 ml (1 t.)	115 mg
Tofu	100 g (1/4 bloc)	128 mg
Fèves blanches	250 ml (1 t.)	94 mg
Graines de sésame entières	60 ml (1/4 t.)	436 mg
Amandes	125 ml (1/2 t.)	175 mg
Brocoli cuit	125 ml (1/2 t.)	71 mg
Épinards cuits	125 ml (1/2 t.)	88 mg

L'apport recommandé pour un adulte est de 800 mg par jour.

Les oeufs

QUALITÉ

- Les oeufs doivent être consommés aussi frais que possible. Il existe de plus en plus de producteurs et détaillants qui offrent des produits de qualité.
- Signes de fraîcheur d'un oeuf:
  - l'albumine (blanc) dense ne s'étalant pas complètement,
  - jaune rond, ferme et centré,

- chalazes (filaments d'albumine qui maintiennent le jaune au centre de l'oeuf) tordues et concentrées.
- La couleur de la coquille dépend de la race de poules.
- L'alimentation des poules influence la saveur, la couleur et la teneur en vitamine A du jaune.
- La dureté de la coquille indique une plus forte teneur en minéraux.

VALEUR NUTRITIVE

- Excellente source de protéines complètes (13%) partagées presque également entre le jaune et le blanc de l'oeuf.
  - jaune: protéines, vitamines A, B (dont la B_{12}), D, minéraux (cuivre, fer, phosphore, calcium), lipides (30%) dont une forte teneur en cholestérol (250 mg), lécithine, eau.
  - blanc: protéines, un peu de minéraux (sodium, potassium), eau.

NOTE: les protéines de l'oeuf contiennent du soufre (méthionine), responsable de l'odeur et de la couleur grise, caractéristique d'un oeuf trop cuit.

QUANTITÉ

Consommer de 1 à 4 oeufs par semaine est raisonnable tout dépendant de la quantité de matières grasses saturées et de cholestérol que comporte déjà votre mode d'alimentation. Les oeufs qui entrent dans la préparation des plats sont compris dans ce nombre. On peut toutefois consommer une plus grande quantité de blancs d'oeufs comme source de protéines complètes.

À mesure que vous apprendrez à connaître et utiliser les sources de protéines végétales qui contiennent peu ou pas de matières grasses saturées et pas de cholestérol et que... vous diminuerez la consommation de desserts, l'oeuf n'apparaîtra qu'occasionnellement au menu, déguisé en quiche, soufflé ou omelette, ou tout simplement poché ou mollet, là où il est à son meilleur!

Apprenons à doser et varier nos menus pour un optimum de santé et de plaisir!

CHAPITRE XIV

Les autres produits à connaître

1. Caroube
2. Épices et fines herbes
3. Fécule de marante
4. Levure alimentaire
5. Levure à pain
6. Levure chimique
7. Mélasse
8. Miel
9. Sel de mer
10. Tisanes
11. Huiles, beurre et margarine

1. CAROUBE

- Une sorte de légumineuse provenant d'un grand arbre magnifique, le caroubier dont le fruit est une gousse longue et épaisse renfermant des fèves à pulpe sucrée; séchées et pulvérisées, ces fèves donnent la farine de caroube.

- Remplace avantageusement le cacao, le lait au chocolat instantané et le chocolat!

- Ne contient pas de caféine et peu de gras (2% par comparaison à 52% dans le chocolat); contient des glucides, du calcium (30 mg/1 c. à soupe) et du phosphore.

- Bon pour la flore intestinale à cause de sa teneur en pectine.

- Utilisé comme boisson et dans la préparation des desserts.

- On s'habitue rapidement à son goût.

Brisures de caroube

- Composition de celles vendues par La Balance: poudre de caroube rôtie, huile de palme et lécithine de soya. Aucun additif ou sucre n'est ajouté.

- Celles employées pour confectionner les friandises (croquants, tablettes...) peuvent contenir jusqu'à 30% de sucre.

- Ajouter occasionnellement dans les biscuits, salades de fruits, friandises.

2. ÉPICES ET FINES HERBES

Quelques mots seulement de ce "champs immense" que couvrent les épices et les fines herbes ainsi que leurs vertus.

Épices:

- **Anis, cannelle, clou de girofle, cumin, gingembre, moutarde, muscade, paprika, poivre de cayenne, poivre noir ou blanc, safran.**

- S'utilisent en très petite quantité dans toute une gamme de recettes, depuis les desserts jusqu'aux plats à base de grains entiers en passant par les oeufs, les légumes, etc.

Fines herbes:

- **Basilic, cerfeuil, ciboulette, estragon, fenouil, laurier, marjolaine, origan, persil, romarin, sauge, sarriette, thym, etc.**

- Assaisonnements indispensables, tisanes savoureuses. Les herbes possèdent des vertus culinaires et médicinales.

- Utiliser basilic, ciboulette et persil en grande quantité, marjolaine, sauge, sarriette et thym " au compte-goutte"... dans la majorité des plats principaux.

  Ex.: - basilic avec tomates, céréales, légumineuses, tofu
  - ciboulette avec oeufs, riz, pommes de terre
  - marjolaine et thym dans les soupes
  - origan avec les pizzas, sauces tomate
  - persil, partout, en abondance. Attention: ajouter APRÈS la cuisson.

- sarriette avec les légumineuses
- etc., etc. (voir chaque recette)

• Rechercher celles cultivées au Québec et BIOlogiques.

En alimentation saine, le "tandem sel-poivre" est remplacé par une variété de fines herbes et d'épices; chaque plat devient ainsi une découverte en soi.

L'assaisonnement étant une question de goût, n'ayons pas peur d'expérimenter, de goûter, d'en rajouter. SOYONS GASTRONOMES!

3. FÉCULE DE MARANTE (arrow-root)

• Fine poudre blanche extraite de la racine d'une plante tropicale: l'arrow-root.

• Utiliser pour lier potages, desserts, sauces.

• Diluer 20 ml (1 1/2 c. à soupe) dans un peu d'eau froide par 250 ml (1 tasse) de liquide à épaissir.

• Propriété mucilagineuse, bonne influence sur la flore intestinale.

• Diluer et ajouter aux légumes en fin de cuisson pour les rendre brillants.

4. LEVURE ALIMENTAIRE (ou nutritive)

• Classée dans les champignons microscopiques, elles sont cultivées dans différents milieux selon le type de levure.

• C'est une levure inactivée. Ne peut pas servir à faire lever les pâtes.

• Bonne source de protéines (38 %), de vitamines B (ne contient pas de B_{12} si non fortifiée), de minéraux (fer, phosphore, potassium).

• Il existe des levures enrichies en B_{12} et/ou calcium.

• Variétés: levure de bière, Torula, Engevita. Toutes nutritives elles se différencient par leur goût, respectivement amer, moyen, doux.

• À utiliser **avec modération**; crue autant que possible, saupoudrée sur les soupes, les salades, les céréales, etc.

5. LEVURE À PAIN

- Champignon microscopique, à l'état latent. S'active à une température tiède 43°C (110°F) et en milieu légèrement sucré.

- Source de vitamines B, de minéraux.

- Utilisée pour faire lever les pâtes. Ne pas consommer crue.

- La levure se nourrit des glucides de la pâte et dégage du gaz carbonique CO_2, ce qui fait lever le pain.

- Se conserve plus d'un an au réfrigérateur dans un contenant bien fermé.

6. LEVURE CHIMIQUE (poudre à pâte)

- Levure chimique ou levure à pâtisserie.

- Contient du bicarbonate de soude (soda à pâte) ou de potassium et de la crème de tartre. L'un de ces composés est alcalin et l'autre acide; les deux réagissent ensemble et libèrent un peu de gaz carbonique, ce qui fait lever la pâte. Acheter de la levure chimique sans alun (sulfate de potassium et d'aluminium).

- Ne pas utiliser plus de 1 c. à thé par tasse de farine, car la vitamine B_1 (thiamine) est détruite en milieu alcalin.

7. MÉLASSE

Blackstrap:

- La plus concentrée en minéraux; on la conseille souvent comme source de fer. Cependant elle est aussi très riche en résidus chimiques et c'est avant tout un SUCRE.

- Résidu sirupeux de la cristallisation du sucre provenant de la canne à sucre.

Barbades:

- Plus raffinée, plus sucrée.

- Point n'est besoin de manger de la mélasse comme source de minéraux; il y a les légumes, les légumineuses, etc.

8. MIEL

- Produit naturel n'ayant subi aucune transformation; contient un peu de minéraux et des vitamines s'il n'est pas pasteurisé!

- Sucre concentré: remplacer 1 tasse de sucre par 1/3 tasse de miel.

Le miel a préséance sur tous les autres sucres par sa qualité. Mais en dépit de cela, c'est un sucre concentré et il présente les mêmes inconvénients que les autres sucres (sucre, mélasse, sirop d'érable, sirop d'orge malté, etc.).

9. SEL DE MER

- Le sel = chlorure de sodium (NaCl)

- Source de minéraux: sodium, chlore, magnésium, traces de cuivre, nickel, etc.

- Ne contient pas d'iode; cet oligo-élément est nécessaire au bon fonctionnement de la glande thyroïde. Sources d'iode: les algues, tous les légumes selon la teneur du sol en iode... et le sel de table iodé dans lequel l'iode a été fixé après plusieurs manipulations chimiques.

- Les besoins en sel varient selon l'âge, le climat et l'alimentation.

- Le sel provient soit de la mer (amashio) ou de la terre (gemme).

- À l'état naturel, plusieurs aliments contiennent du sodium: les légumes, les produits laitiers, l'eau; point n'est besoin d'en rajouter.

- Pour diminuer notre habitude de ''saler'' voici quelques suggestions pour rehausser la saveur de nos plats.
  - Les fines herbes: basilic, thym, marjolaine, persil, etc.
  - Les épices: muscade, cannelle, gingembre, coriande, paprika, etc.
  - L'ail, l'oignon, le jus de citron, les algues séchées et moulues, etc.; ce ne sont pas les choix qui manquent!
  - Le miso et la tamari contiennent du sel. À utiliser judicieusement. Le gomashio peut se préparer avec ou sans sel.

- Chaque américain consomme en moyenne 10 à 20 g (2 à 4 c. à thé) de sel par jour. Pour répondre aux besoins de l'organisme 220 mg (1/10 c. à thé) par jour suffisent! (1)

- Le lien entre la consommation excessive de sel et l'hypertension a été vérifié scientifiquement. Il en est de même en qui concerne la rétention d'eau, les malaises pré-menstruels et les maladies du rein.

- Un changement dans nos habitudes alimentaires s'impose: surtout, **diminuer la consommation d'aliments transformés** (conserves, préparations de tous genres, etc.), utiliser de la poudre d'ail, d'oignon ou de céleri plutôt que du sel d'ail, etc.

- **Lire les étiquettes attentivement vous incitera sûrement à manger des aliments frais et entiers.**

- Il est plus facile qu'on le croit de perdre l'habitude de saler ses aliments. Faites-vous confiance et offrez-vous le plaisir de découvrir progressivement la saveur réelle des aliments frais. Bientôt les mets salés vous rebuteront. C'est la même chose pour le sucre, vous savez!

10. TISANES ET CAFÉ

Beaucoup de personnes essaient de diminuer leur consommation de café ou de thé riches en caféine et théobromine, deux alcaloïdes toxiques pour l'organisme. Voici donc quelques alternatives:

Café de céréales:

- Mélange de racines de betterave et de chicorée, d'orge et de seigle. Se sert instantané ou infusé.

Café d'orge moulu:

- Mélange d'orge, de racines de pissenlit et de bardane. Faire mijoter quelques minutes et filtrer.

Quoique ces mélanges donnent des boissons plus saines, il ne faut pas oublier qu'ils ont été torréfiés (grillés à très forte chaleur) pour en accentuer l'arôme et la saveur.

Tisanes

Côté tisanes, ce n'est pas le choix qui manque! Il y a la **camomille**, la **menthe**, le **tilleul**, la **verveine** et l'**églantier** pour n'en nommer que quelques-unes. Le choix est multiple.

Encore récemment, la majorité des tisanes venaient d'Europe (donc fumigées pour le transport).

Toutefois, il est maintenant possible de trouver au Québec des tisanes biologiques, cultivées et/ou cueillies ici-même, pour satisfaire tous nos besoins. Bien vérifier et LIRE ATTENTIVEMENT LES ÉTIQUETTES.

Avons-nous pensé à notre jardin ou à la nature environnante? Un domaine fascinant à découvrir.

Les tisanes se servent:

en infusion:
* pour les parties plus fragiles de la plante, comme les feuilles et les fleurs séchées. Verser de l'eau "très chaude" et laisser reposer 10 minutes.

en décoction:
* pour les tiges, les racines, les fruits durs. Mettre dans l'eau froide, porter à ébullition, bouillir 3 minutes et infuser 10 minutes. Pour plus de saveur, il est recommandé d'écraser légèrement les fruits durs au préalable (ex.: églantier, aubépine, anis étoilé).

Quantité:
* habituellement 5 ml (1 c. à thé) de feuilles séchées par 250 ml (1 tasse) de liquide.

11. HUILES

Les huiles végétales sont d'excellentes sources de lipides (100%), tout DÉPENDANT de la qualité du produit de départ et de la méthode d'extraction de l'huile!

DIFFÉRENCES NATURELLES IMPORTANTES ENTRE LES GRAISSES OU HUILES DES DEUX ORIGINES

Graisses animales	Huiles végétales
1. Riches en acides gras saturés	1. Riches en acides gras insaturés
2. Pauvres en acides gras insaturés	2. Pauvres en acides gras saturés
3. Riches en cholestérol	3. Absence de cholestérol
4. Pauvres en acides gras essentiels	4. Riches en acides gras essentiels
5. Riches en vitamines A, D	5. Pauvres en vitamines A, D (*)
6. Pauvres en vitamines E, K	6. Riches en vitamines E, K
7. Traces de fer et de cuivre	7. Traces infimes de fer, magnésium, cuivre
8. Traces infimes de calcium	8. Traces infimes de calcium
9. Solide à la température de la pièce	9. Liquide à la température de la pièce (**)
10. Moins faciles à digérer	10. Faciles à digérer
11. Consommées avec excès: néfaste pour la circulation sanguine	11. Sans excès: bon pour la circulation sanguine. Avec excès: peut aussi être néfaste
12. Riches en calories et énergie	12. Riches en calories et énergie
13. S'oxydent lentement	13. S'oxydent facilement

(*) Sauf l'huile de maïs et l'huile d'olive qui sont assez riches en vitamine A.

(**) Sauf l'huile de palme et l'huile de coco, riches en acides gras saturés, donc solides à la température de la pièce. Moins faciles à digérer. Huile de coco est aussi appelée huile de coprah.

RÔLE

- Source d'énergie et de chaleur: très calorifique 9 Cal./g.
- Véhiculent les vitamines liposolubles A, D, E et K.
- Source d'acides gras essentiels si riches en acides gras polyinsaturés, d'où l'importance des huiles de première pression à froid.
- Rehaussent la saveur des aliments.

Huile d'arachide:

- Possède une grande stabilité à la chaleur car contient surtout des acides gras mono-insaturés.
- Convient pour la friture, car son point de fumée* est élevé.
- Se conserve bien.

    *Point de fumée: température au-delà de laquelle le corps gras se décompose et donne de l'acroléine (substance toxique).

Huile de carthame:

- Une des meilleures sources d'acide linoléique, un acide gras essentiel qui contribue à abaisser le taux de cholestérol.
- Extraite à partir des graines décortiquées.
- D'une belle couleur jaune, à saveur agréable; facile à intégrer.
- Huile tout usage par excellence.
- Point de fumée élevé.

Huile de maïs:

- Bonne source d'acide gras polyinsaturés (acide linoléique).
- Extraite à partir du germe du grain de maïs.
- Couleur jaune intense; contient de la provitamine A.

- Saveur riche et particulière. Convient pour confectionner pains et desserts.
- Point de fumée assez bas, donc fume facilement. Pas recommandée pour la friture.

Huile d'olive:

- Riche en acide gras mono-insaturés (acide oléique).
- Couleur verte et goût semblable à celui de l'olive.
- Au froid, elle devient semi-solide. En la replaçant quelques minutes à la température de la pièce, elle redevient liquide.
- Vitesse d'oxydation lente.
- Elle est en général vendue non raffinée.

Huile de sésame:

- Riche en acides gras polyinsaturés.
- Saveur douce; tout usage.
- Contient de la sésamoline qui la rend plus stable.

Huile de soya:

- Riche en acides gras polyinsaturés et en lécithine.
- Couleur foncée; goût de noix.
- Pas recommandée pour la friture car elle mousse.
- Particulièrement fragile à la chaleur.

Huile de tournesol:

- Riche en acides gras polyinsaturés (acide linoléique).
- Tout usage.

QUALITÉ

La valeur nutritive des huiles dépend de la qualité du produit de départ, de la méthode d'extraction et du mode de conservation.

EXTRACTION À FROID

- Pressées à froid (30-40°C), coulées et embouteillées. Elles sont non-raffinées.
- Riches en acides gras polyinsaturés dont les acides gras essentiels A.G.E.
- Elles possèdent une couleur, une saveur et une odeur propre à chaque variété, et que dire de leur valeur nutritive!
- Se conservent à l'abri de l'air, de la lumière et de la chaleur.
- Les meilleures huiles à consommer.

EXTRACTION À CHAUD

- Certaines huiles dites naturelles sont extraites en chauffant les produits (température pouvant aller de 50 à 130°C) ce qui a pour effet de saturer une partie des acides gras insaturés; on n'emploie cependant pas de solvants chimiques.
- Elles sont ensuite coulées et embouteillées.

EXTRACTION COMMERCIALE

- Subissent un traitement complexe.
- Extraites en chauffant à des températures très élevées; utilisation de solvants chimiques, ce qui dégénère le produit final.
- Chauffées, addition de solvants chimiques (benzène ou toluène), lavées, désodorisées, décolorées, hydrogénées, addition d'antioxydants synthétiques (BHT, BHA).
- Résultats: des huiles qui "ne goûtent pas, ne sentent pas et ne laissent aucun arrière-goût"; très raffiné, n'est-ce pas... et sans grand intérêt nutritif!

LA QUALITÉ, C'EST UN CHOIX ET CELA SE MAGASINE.

CONSERVATION (pour ralentir l'oxydation)

- Réfrigérer dans des contenants opaques, à l'abri de la lumière.
- Refermer et ranger sans tarder après usage...

QUALITÉ

- Pour une alimentation saine, il est préférable de consommer uniquement des huiles de première pression à froid.

- Les consommer **crues**, sur les salades, en mayonnaise, etc.

- Choisir des huiles non-raffinées et sans anti-oxydants synthétiques (BHA, BHT: additifs à haut risque). Les huiles contiennent de la vitamine E, un anti-oxydant naturel qui est détruit lors du raffinage.

- Les bonnes huiles sont actuellement vendues dans les coopératives et certains magasins d'aliments naturels.

APPORT RECOMMANDÉ

Une diète saine et équilibrée satisfait nos besoins quotidiens.

Ex.: 15 ml (1 c. à soupe) d'huile de première pression contient une quantité suffisante d'acides gras essentiels (A.G.E.) pour couvrir nos besoins.

À PROPOS DU BEURRE VS MARGARINE

Beurre

Margarine

- Ses acides gras (81 %) sont en majeure partie des acides gras saturés (57 %)

- Ses acides gras (81 %) subissent le processus de l'hydrogénation, ce qui diminue le pourcentage d'acides gras polyinsaturés contenus dans l'huile utilisée au départ.

- Contient du cholestérol

La consommation du beurre et de la margarine a avantage à être réduite; or, voici comment:

- cuisiner avec de l'huile, en utilisant le moins de gras possible;

- tartiner uniquement avec du beurre d'arachide (ou autre) sur vos rôties, le matin;

- manger du bon pain complet... sans beurre et mastiquer tout en savourant;

- ajouter un filet d'huile ou de citron, du gomashio ou des herbes pour rehausser la saveur de vos légumes;

CHAPITRE XV

La conservation

Les méthodes de conservation de toutes ces précieuses denrées influencent leur valeur nutritive. Lorsqu'on se nourrit essentiellement de produits manufacturés remplis d'additifs, on perd l'habitude d'apporter des soins particuliers aux aliments. L'alimentation saine privilégie les produits frais, vivants, entiers, il faut les conserver adéquatement et ce, depuis leur récolte ou leur achat jusqu'à leur consommation.

LES GRAINS ET LES FARINES

- Dans des contenants de verre bien fermés.

- Au sec, au frais, à l'abri de la lumière.

- Éviter les sacs de plastique à cause de l'humidité.

- Conserver toujours les farines de soya et de maïs au réfrigérateur, car elles rancissent facilement.

- Les céréales entières se conservent bien pendant une année. Conservées plus longtemps, leur valeur nutritive diminue. Le blé se conserve plus longtemps.

- Un test pour s'assurer de la vitalité des grains: en faire germer une petite quantité et observer le résultat. Il n'y a que les bons grains qui germent.

- Le germe de blé doit toujours se conserver au réfrigérateur, car il rancit très facilement à cause de sa teneur en lipides.

- Les farines sont meilleures fraîches. Elles se conservent 2 mois, au réfrigérateur si possible, sinon au frais.

LES PÂTES ALIMENTAIRES

- Dans des contenants ou sacs bien fermés, au frais et au sec.
- On recommande de ne pas les garder plus de 3 mois.

LES LÉGUMINEUSES

- Même méthode que pour les céréales; ce sont des conserves naturelles qui se gardent bien: environ un an, à l'abri de la lumière.
  Fève lustrée = fève fraîche.
- Cuites, elles se conservent 3 à 4 jours au réfrigérateúr et 1 à 2 mois au congélateur.

LE TOFU

- Au réfrigérateur, se conserve longtemps lorsque emballé sous vide.
- Après usage, conserver dans l'eau froide au réfrigérateur.
- Voir la partie traitant du tofu au chapitre des légumineuses.

LES NOIX ET GRAINES

- Écalées: dans des contenants de verre et au froid.
- En écale: à l'abri de la lumière et au frais ou au congélateur.
- Se conservent de 6 mois à 1 an. Acheter en écale, à l'automne et congeler; elles resteront plus fraîches. Utiliser au besoin.
- Les beurres de noix devraient être conservés au réfrigérateur.

LES HUILES

- Au froid dans des contenants de verre opaques, de 4 à 6 mois.
- Ne pas s'inquiéter des dépôts ou filaments qui pourraient se former; ce sont des éléments nutritifs.

- Si le goût devient amer, cela indique que l'huile est rancie. Ne pas consommer.

LES CULTURES DE YOGOURT

- Au congélateur, de 6 mois à 1 an.

LES FROMAGES

- Dans des sacs de plastique bien fermés. L'air... et les doigts sont des ennemis du fromage.
- Au réfrigérateur, plusieurs semaines. Au congélateur, plusieurs mois, sauf le fromage "cottage".
- Pour plus de saveur, le chambrer environ une heure avant de servir.

LES LEVURES (à pain et alimentaire)

- Au réfrigérateur ou au congélateur dans des contenants bien fermés, de 6 mois à 1 an.

LE MISO ET LE TAMARI

- Au frais dans des contenants de verre.
- Le miso non-pasteurisé se conserve au réfrigérateur.

LE SEL

- Au sec.

LES ÉPICES ET FINES HERBES

- Au sec, à l'abri de la lumière et non pas au-dessus de la cuisinière (trop chaud et trop de lumière).

LES FRUITS ET LÉGUMES

- Au réfrigérateur, à l'abri de l'air, et consommer rapidement pour éviter de trop grandes pertes en vitamines.
- Les fruits avec une pelure peuvent être placés bien en vue, à la température de la pièce; ça incite à la consommation!
- Les légumes-feuilles et les légumes verts perdent rapidement leur vitamine C: les conserver toujours au froid, à l'abri de l'air, dans des contenants hermétiques.

LES FRUITS SÉCHÉS

• Dans des contenants de verre bien fermés, au frais.

LES ALGUES

• Au sec, dans des contenants de verre ou des sacs de plastique.

EN RÉSUMÉ

Des constantes reviennent sans cesse pour la conservation des produits.

• Ranger à l'abri de l'air, de la lumière, de la chaleur et de l'humidité.

• Pour une meilleure qualité, s'assurer d'une rotation des produits.

Quand on adopte une alimentation saine, les armoires, le réfrigérateur et le garde-manger (les ''dépenses'' de nos grands-mères) sont remplis de beaux pots et de contenants bien étiquetés.

Une bonne organisation ainsi qu'un système efficace de rangement favorisent la préservation de la qualité des aliments.

CHAPITRE XVI

La méthode gagnante

Organisation rapide des menus de la semaine

Nous savons maintenant que pour manger sainement, il faut cuisiner céréales, légumineuses, légumes, etc. et investir temps, énergie et connaissance.

Ce n'est toutefois pas une tâche, mais bien une question d'organisation! Voici donc quelques moyens pour vous aider à démystifier les difficultés et vous démontrer qu'intérêt et sens de l'organisation sont gages de succès.

1- Faire un inventaire hebdomadaire du garde-manger.

- Noter les produits de base qui restent.
- Noter également ceux qui manquent.

2- Déterminer "grosso modo" la composante des plats principaux

- Tenir compte des menus de la semaine précédente afin de varier.
- Mettre de côté les variétés de légumineuses à tremper.
- Prendre note des plats à préparer d'avance.

3- Faire la liste des achats complémentaires:

- Légumes, fruits, etc.

4- "Faire tremper", une habitude à développer:

- Un geste simple qui augmente la digestibilité de certains aliments, comme les noix, les graines, les fruits séchés, et raccourcit le temps de cuisson des légumineuses et des céréales.

- Que le trempage devienne un réflexe, un geste machinal qu'on effectue avant d'aller se coucher ou le matin, selon son horaire.

- **Le trempage systématique d'une ou deux variétés de légumineuses chaque semaine s'avère être la meilleure, sinon l'unique méthode d'intégrer ces denrées dans son alimentation.**

- L'eau froide est requise pour les longs trempages. L'idéal, c'est de faire tremper dans des pots de verre, au réfrigérateur. 2-3 fois leur volume en eau est suffisant; trop d'eau entraîne une plus grande perte de vitamines B et C, solubles dans l'eau.

- Plusieurs céréales et légumineuses ne requièrent pas de trempage (riz, lentilles, etc.). Cependant, il sera toujours avantageux d'intégrer cette habitude car le trempage:
  - raccourcit le temps de cuisson;
  - augmente la digestibilité;
  - économise l'énergie.

DONC, METTONS À TREMPER:

- **fruits séchés:** déconcentre les sucres et rend les fruits plus tendres. Manger tels quels ou en beurre, mousse, sauce.

- **noix et graines:** plus digestes, plus faciles à mastiquer. Manger telles quelles, en sauce, lait, pâté.

- **légumineuses:** plus digestes, cuisson écourtée. Cuire ou germer avant de consommer telles quelles ou dans diverses préparations.

- **céréales:** cuisson écourtée. Utiliser l'eau de trempage pour la cuisson. Faire germer si désiré.

- **flocons de céréales:** pour le matin.

5- Faire cuire d'avance:

- **Le matin, faire tremper:**
  - 2 variétés de légumineuses (pois chiches, fèves noires, ou autres).
  - 2 variétés de céréales (orge, riz, etc.) en quantité suffisante pour ses besoins.
- **Le soir, cuire et garder en réserve pour les repas à venir.**

En utiliser une partie pour le prochain repas, en conserver une autre partie au réfrigérateur (4 jours au maximum) et congeler le reste par portions dans des contenants, appropriées à ses besoins (1 mois). Comme ça, on ne monopolise pas tout son temps à faire cuire les denrées de base chaque jour de la semaine.

Quand on dispose de céréales et de légumineuses cuites, il est facile et rapide de préparer des repas et des lunchs nutritifs.

VIVE LES BONNES HABITUDES!

Exemple: le fait d'avoir des fèves rouges cuites, sous la main, vous incitera à en ajouter au riz, à la soupe ou à la salade ou encore à préparer en croquettes ou tartinade. Si on devait tout préparer le jour même, on n'en mangerait que rarement. Quand on a "l'habitude" de mettre à tremper différentes variétés de légumineuses, on en consomme davantage, ce qui nous assure un apport adéquat en protéines: glucides, vitamines B, fer et fibres.

6- L'espace-temps privilégié

- Le prêt-à-manger nous a toutes-tous fait rêver, un de ces jours où notre horaire était particulièrement chargé. Heureusement, il est possible de se nourrir sainement d'une manière très simple. Germes, yogourt, fruits, crudités, noix et graines, pain, tofu sont toujours là pour nous dépanner. Quoiqu'il en soit, si on désire des mets préparés à l'avance, c'est facile... il suffit de les cuisiner à l'avance, seule ou avec d'autres!

- POURQUOI NE PAS EN FAIRE UNE ACTIVITÉ FAMILIALE? TOUT LE MONDE MANGE... TOUT LE MONDE MET LA MAIN À LA PÂTE!

- L'espace-temps privilégié servira à préparer yogourt, beurre de fruits secs (trempés à l'avance), sauce à salade et quelques plats cuisinés, selon vos besoins. Cuisiner en double et congeler le surplus: réserve très appréciable.

  Ex.: 2 végépâtés, 2 tourtières au millet, 2 pizzas, double recette de sauce à spaghetti, 1 grand chaudron de soupe.

7- La congélation:

- Un procédé de conservation acceptable pour une courte période (maximum 1 mois).

- Refroidir rapidement les plats cuisinés et congeler.

- Décongeler rapidement ou placer au réfrigérateur.

  Un dépannage, un compromis "contemporain" adapté à nos horaires "contemporains".

8- L'exploration et la variété:

- Cuisiner peut devenir un moment privilégié, une occasion de détente, de prise de conscience de son corps et de ses gestes, voire même un plaisir, en particulier si on le fait en écoutant sa musique préférée. C'est une question d'attitude.

- Quand on travaille debout, il faut surveiller sa posture et bien équilibrer son poids sur les deux pieds. Relâcher la mâchoire, respirer profondément et pourquoi pas fredonner!

- Découvrir le plaisir des couleurs, des formes. Composer des belles salades. Créer des plats variés. Et, comme "c'est en forgeant qu'on devient forgeron", avec la pratique, l'imagination sera stimulée.

  En vous voyant si rayonnant-e de santé, les gens autour de vous voudront sûrement vous imiter... et cuisiner avec vous!

9. !!!

La méthode gagnante peut aussi ouvrir des perspectives nouvelles et susciter une dynamique familiale de changement. Cette méthode favorise les activités d'éducation auprès des enfants. Quelques suggestions:

Écrire et afficher des slogans dans la cuisine.

- **ici on mastique bien**
- **une pomme par jour, en santé toujours**
- **la santé c'est précieux**

• Organiser et animer de petits ateliers de cuisine en faisant participer les enfants: faire du pain, des biscuits; faire germer et rincer la luzerne, etc. Faire dessiner les enfants sur le thème de la santé.

• **Enfin, toujours avoir en tête que l'HUMOUR et la CRÉATIVITÉ sont des ingrédients essentiels à la santé.**

UN MENU TYPIQUE

Le déjeuner

• 1-2 verres d'eau au lever (par petites gorgées, si possible!!!)

• Jus si désiré, ou mieux:

• Fruits frais ou fruits séchés trempés

• Céréales sous forme de pain, crêpe, muffin ou bol de céréales, servis avec beurre de noix et/ou produit laitier.

Ce premier repas de la journée apportera consistance et réconfort. Prendre cinq petites minutes la veille pour préparer une table ''accueillante'' pour le réveil. Préparons-la à tour de rôle... pour s'amuser!

• **Le déjeuner constitue le repas le plus important de la journée.** Il doit être nourrissant.

• Pour amener les enfants à prendre de vrais déjeuners nourrissants, l'exemple est encore ce qu'il y a de plus efficace. Abandonnons l'habitude d'acheter des céréales sucrées en boîtes, (LIRE ATTENTIVEMENT LES ÉTIQUETTES); lorsqu'il n'y en a pas dans la maison, on mange autre chose! Intégrons des fruits frais, des céréales chaudes et du pain complet.

- Préparer la table avant de se coucher, stimule grandement l'appétit et met de bonne humeur le lendemain matin.

- Se donner le temps de manger en planifiant le lever un peu plus tôt.

SUGGESTIONS

- 1 fruit en tranches seul ou avec du yogourt, auquel on peut ajouter des noix ou graines trempées (si on y a pensé la veille) ou des graines moulues (déjà prêtes).

- Sauce aux fruits séchés servie avec bananes, crêpes ou muffin.

- 1 portion de müesli froid ou chaud (voir section "Pratique").

- Du gruau chaud, agrémenté de fruits, de graines, de levure alimentaire.

- Granola (voir section "Pratique").

- Crème de blé, de riz, de millet, de semoule de maïs. Moudre les grains et cuire dans 3-4 fois leur volume en eau jusqu'à épaississement. Servir avec fruits et muscade, cannelle ou caroube.

- Pain de blé entier avec beurre de noix: amande, sésame, arachide, etc.

- Muffin ou crêpe ou galette. Pour un déjeuner rapide, préparer le mélange la veille, cela ne prend que quelques minutes. Couvrir. Laisser reposer toute la nuit sur le comptoir; il se produira un début de fermentation. Si vous y avez mis des oeufs, placer plutôt au réfrigérateur. Servir avec du yogourt et des pommes râpées.

- Toute une gamme de jus ou de laits fouettés:
  - jus d'orange, luzerne, beurre d'arachide,
  - jus de pommes, pruneaux trempés,
  - lait, banane, caroube ou vanille,
  - jus d'orange et d'ananas, yogourt.

Le dîner

- **On débute toujours avec une crudité** : soit une salade verte l'été; des germes et légumes-racines ou choux râpés l'hiver; des crudités variés.

- Plat de résistance à base de céréales, légumineuses et noix ou fromage, accompagné de légumes colorés, cuits à la vapeur ou sautés à la chinoise dans un "wok".

    L'importance de ce repas en termes de quantités varie selon le déjeuner, l'activité fournie et celle à venir.

Le souper

- **Le repas le plus léger.** Il peut se composer de fruits et fromage "cottage" ou de légumes au choix en sauce, de salade et soupe ou simplement d'une salade-repas.

- Pour favoriser l'effet réparateur de la nuit et prévenir les encrassements, évitons les surcharges alimentaires, c. à d. prendre le souper au moins 4 ou 5 heures avant le coucher et éliminer la collation du soir.

Les plats de résistance

- Tout dépendant de l'heure, du temps dont on dispose pour les préparer, du type d'activités qu'on a et de son appétit, les plats de résistance vont varier. Voici quelques idées générales:

- Le plat principal est généralement précédé d'une crudité et accompagné de légumes cuits; mais... il n'est pas nécessairement suivi d'un dessert!

SUGGESTIONS

- Les légumineuses (dont le tofu) et les céréales peuvent s'apprêter en casserole, soupe, croquette, pâté, tarte, salade, etc.

- Les plats à base de pâtes alimentaires sont multiples.

- Les plats à base d'oeufs (quiches, soufflés, omelettes) se transforment selon la saveur des légumes choisis.

MÉTHODE GAGNANTE

• La même recette peut se servir sous différentes formes. Voir section "Pratique".

En général, on prend **21 repas par semaine** qui "pourraient" se répartir comme suit:

• **7 déjeuners à base de céréales**
  - accompagnées de fruits, de produits laitiers, de noix et graines trempées ou en beurre; oeuf à l'occasion.

• **5 repas à base de céréales y compris les pâtes alimentaires**
  - en soupe
  - en croquettes
  - en salade
  - en tarte ou pâté

• **4 repas à base de légumineuses**
  - en accompagnement pour compléter les céréales
  - en casserole

• **3 repas à base de tofu**
  - en trempette
  - en cubes ou en tranches (servis avec des légumes, tel quel ou sur des céréales; avec du pain ou en soupes; sauces ou salades).

• **1 repas à base de produits laitiers:**

• **1 repas à base d'oeuf**

TANT DE POSSIBILITÉS PROUVENT AMPLEMENT QUE MANGER SAINEMENT, C'EST PARTIR À LA DÉCOUVERTE DE NOUVELLES SAVEURS, DE MULTIPLES FORMES ET COULEURS, C'EST S'ÉLOIGNER DE LA MONOTONIE, EN UN MOT, C'EST MISER SUR L'ÉQUILIBRE, LE PLAISIR ET LA SANTÉ!

Les collations

Les collations varient suivant l'importance du déjeuner, l'activité et l'appétit de l'enfant.

• Les plus simples sont les meilleures: pommes, carottes, branches de céleri, lanières de chou, de poivrons, de navets, feuilles de laitue, luzerne germée, fruits en saison.

- Collation nourrissante: une tranche de pain, beurre d'arachide et luzerne.
- Fromage "cottage" et fruits ou légumes.
- Graines de tournesol trempées et germées quelques heures ou grillées avec tamari. Très nutritif!
- Maïs soufflé.
- Laits ou jus fouettés.
- Fruits.

VIVE LE CHANGEMENT!

Il existe   9 variétés de céréales
           24 variétés de légumineuses
    40-50 variétés de légumes couramment utilisés
         20 variétés de fruits
         12 variétés de noix

Le monde végétal regorge de richesses nutritives!

FAITES VOTRE CHOIX!

La Communication ouvre à la
   Connaissance,

La Connaissance éveille la
   Conscience,

La Conscience amène le
   Changement!

Ouverture sur l'Espoir, par la santé de
chaque individu, de l'humanité, de la
planète!

Le livre
des recettes

Du discours...
à la pratique
culinaire

C'est dans la bouche, en mastiquant bien,
qu'on prend plaisir à goûter.

C'est par la pratique, en cuisinant,
qu'on apprivoise la nouveauté et
qu'on découvre ses talents cachés.

C'est par un choix minutieux d'aliments nutritifs
qu'on se construit une bonne santé, pour
soi-même et pour les siens.

Petit rappel sur les produits

Agar-agar:
Extrait d'algues, gélatine naturelle pour gelées et aspics.

Alfalfa:
Mot anglais signifiant luzerne

Arrow-root:
Mot anglais désignant la fécule de marante.

Boulghour:
Blé dur concassé et pré-cuit. Cuit rapidement.

Caroube:
Poudre riche en minéraux obtenue en broyant les fèves du caroubier. C'est le substitut sain au cacao.

Carthame:
Plante dont les graines fournissent une huile riche en gras polyinsaturés, résistante à de hautes températures.

Kasha:
Sarrasin décortiqué et rôti. Excellente céréale de cuisson rapide.

Malt:
Blé ou orge germé, séché et moulu. Remplace le sucre.

Millet:
Céréale de cuisson rapide et saveur douce.

Miso:
Pâte de soya fermenté avec une céréale. On l'utilise dans les soupes, les sauces, les tartinades.

Okara:
Résidu des fèves soya lors de la fabrication du lait de soya.

Semoule (maïs ou blé)
Céréale séchée et moulue plus grossièrement que la farine. S'utilise au déjeuner, en bouillie, dans les gâteaux et pains.

Tahini:
Beurre de graines de sésame décortiquées. Plus pâle et

moins nutritif que le beurre de sésame entier.

Tamari:

Sauce soya fermentée naturellement. Complète et rehausse les plats de céréales.

Tofu:

Fromage fait à partir du lait de soya. Source de protéines, dépourvu de cholestérol. De saveur "douce, il sert à de multiples usages.

Les recettes

Pour expérimenter, créer, savourer... appliquer notre démarche-santé.

Objectif:

. Apprivoiser les produits de base d'une saine alimentation.

Contenu:

. Près de 200 recettes choisies en fonction de:
   - leur valeur nutritive,
   - leur goût,
   - leur simplicité,
   - leur popularité assurée auprès de toute la famille.
. Les principes de base des principales techniques d'utilisation des ingrédients.
. De nombreuses idées pour vous encourager à créer vos propres chefs-d'oeuvre.

Une recette, c'est une inspiration, un guide.

Avec 200, on peut en créer 1000 en variant les légumes, les céréales, les assaisonnements, la présentation... Bonne chance!

Que la cuisine devienne un lieu où il est agréable de travailler, où tous les ustensiles indispensables sont à la portée de la main et où on prend plaisir à s'organiser, à expérimenter, à collaborer!

Au début, changer nos habitudes alimentaires requiert un **investissement** en temps, car tout est nouveau.

Persévérez! C'est en expérimentant qu'on apprend et bientôt, cuisiner avec des aliments frais et entiers deviendra un geste naturel. Votre **capital-santé** et surtout **la joie de cuisiner** ne feront qu'augmenter. Ayez confiance!

- La majorité des recettes donnent de 4 à 6 portions. Si c'est trop, divisez-la en deux ou faites congeler la deuxième partie pour plus tard, ou utilisez-la pour les lunchs.

- La vue stimule l'appétit. Investir quelques minutes supplémentaires **pour soigner la présentation** du repas. Plus les plats seront appétissants, mieux ils seront appréciés et digérés; ça fait partie du plaisir de manger!

- Les assaisonnements sont indiqués pour chaque recette. Cependant, toujours goûter avant de servir un plat; souvent un réajustement est nécessaire selon les goûts et les habitudes. Avec le temps, découvrir de nouvelles saveurs autres que "salé" et "épicé" fera partie du changement. L'assaisonnement fait toute la différence!

- **Le choix de la vaisselle** a aussi son importance dans l'attrait des nouveaux mets. Les enfants, tout comme les grands, y sont sensibles. Une crème fouettée au tofu et une mousse aux pruneaux auront davantage de succès servies superposées dans une coupe en verre plutôt que mélangées dans un bol.

- L'imagination et le côté créatif se développent à la longue. Rapidement on se découvre des talents pour harmoniser saveurs et couleurs. Cuisiner peut devenir très valorisant et amusant.

- Afin d'apprivoiser le plus rapidement possible toutes **les méthodes de cuisson**, que ce soit pour les céréales, les légumineuses ou les légumes, relire souvent la description dans la section "Théorie" du guide.

- Les quantités sont exprimées selon le système métrique, en mesure de capacité (ml) car la majorité des gens au Québec utilisent la tasse à mesurer (capacité: millilitre) plutôt que la balance (poids: gramme) pour cuisiner. Les équivalences en système britannique sont notées entre parenthèses.

La 1re épicerie:

IL S'AGIT DE CHANGER LES PRODUITS DE BASE USUELS.

	À REMPLACER PAR	
Pain blanc		Pain de blé entier
Farine blanche	"	Farine de blé entier
Riz blanc	"	Riz complet
Orge perlé	"	Orge mondé
Céréales du matin en boîtes	"	Flocons d'avoine ou granola
Pâtes alimentaires blanches	"	Pâtes alimentaires à base de farine entière
Sauce soya commerciale	"	Tamari
Sucre blanc	"	Miel
Beurre d'arachide hydrogéné	"	Beurre d'arachide naturel
Huiles végétales raffinées (commerciales)	"	Huiles végétales 1re pression
Vinaigre blanc	"	Jus de citron
Cacao et poudre pour préparer lait au chocolat	"	Poudre de caroube
Cubes de bouillon de poulet ou de boeuf	"	Cubes de bouillon de légumes ou de soya
Sel	"	Sel marin et fines herbes
Épices fortes	"	Muscade, cannelle, racine de gingembre, graines de coriandre, fenouil, etc.
Thé et Café	"	Tisanes, café de céréales

Avec le temps...

Introduire progressivement des nouveaux produits moins usuels dans le menu traditionnel.

- Céréales: millet, boulghour, sarrasin, etc.
- Légumineuses: fèves rouges, Lima, lentilles, pois chiches, tofu, etc.
- Davantage de noix et de graines.
- Levure alimentaire.
- Agar-agar au lieu de la gélatine commerciale.
- Quelques variétés d'algues: aramé, hiziki, nori.

À propos de la complémentarité des protéines

- Pour composer des menus contenant des protéines complètes, relire attentivement le chapitre intitulé "La complémentarité de protéines" dans la section Théorie.
- La majorité des recettes contiennent des protéines complètes, sinon des suggestions de complémentarité sont incluses.
- Pour vous pratiquer et vous amuser, soulignez vous-même les complémentarités des protéines dans les recettes!
- Si la recette contient des produits laitiers ou des oeufs, la complémentarité des protéines végétales est automatiquement assurée.

Enfin, suivez LE GUIDE: il vous aidera à réussir votre démarche de transformation; à utiliser judicieusement une gamme complète d'aliments sains; à découvrir, apprécier et rechercher des produits alimentaires plus nutritifs et plus savoureux; à bâtir une SANTÉ solide, pour vous et votre famille; et finalement, à augmenter la QUALITÉ DE VIE.

CHAPITRE I

Les céréales

MÉTHODE DE CUISSON DES CÉRÉALES

Les méthodes détaillées et le tableau de cuisson se trouvent au chapitre sur les céréales dans la section "Théorie".

Un rappel:

1° Laver et égoutter les céréales.

2° Mesurer la quantité d'eau requise, porter à ébullition.

3° Ajouter la céréale, couvrir, diminuer la chaleur, cuire à feu doux jusqu'à ce que toute l'eau soit absorbée.

* On peut griller légèrement les grains dans une poêle en fonte chaude, À SEC. Laver, griller en brassant, ajouter à l'eau de cuisson. Ceci rend les grains moins collants, accentue la saveur et commence la transformation de l'amidon en sucres plus simples, donc facilite la digestion.

POSSIBILITÉS DE RECETTES

• Les céréales cuites ou germées se servent:
   - NATURE, accompagnées de légumes.
   - EN CASSEROLE avec des légumes au four.
   - EN SOUPE avec des légumes et/ou légumineuses.
   - EN SALADE avec des légumes et/ou légumineuses.
   - EN CROQUETTE avec des légumes et une sauce.

- EN ASPIC avec des légumes.
- EN POUDING ou dessert.

SAVIEZ-VOUS QUE:

- 1 portion de céréales = 1/2 tasse de céréales entières cuites. Dans un régime lacto-ovo végétarien, 5 à 7 portions par jour sont suggérées.

- Relire souvent la théorie concernant les céréales et le mode de cuisson procure confiance et intérêt.

CÉRÉALES + LÉGUMINEUSES
CÉRÉALES + PRODUITS LAITIERS   = **PROTÉINE COMPLÈTE**
CÉRÉALES + OEUF

- Une pomme râpée ou un autre fruit ajouté aux céréales du matin aide à perdre l'habitude de les sucrer.

- L'eau de cuisson des céréales peut être remplacée par n'importe quel bouillon plus nutritif ou savoureux. Exemples: tisane de menthe, bouillon de légumes, eau + base de soupe en poudre.

- Laver et griller légèrement à sec avec un peu d'ail et/ou d'oignon rehausse la saveur des céréales.

- Le trempage des céréales avant la cuisson réhydrate les grains et raccourcit le temps de cuisson.

Important: Cuire les céréales dans leur eau de trempage afin de récupérer les vitamines B qui s'y étaient dissoutes: elles sont hydrosolubles.

- Copier le tableau de cuisson des céréales et placer dans un endroit pratique, comme l'intérieur d'une porte d'armoire.

- Pour la cuisson des céréales, la quantité d'eau employée détermine la consistance de la céréale. Plus il y a d'eau plus la céréale est gonflée ou éclatée. Ajuster à votre goût.

- Il est évident que toutes les recettes sont faites avec des grains entiers, non raffinés.

- Les recettes de soupes, crêpes, pains, desserts à base de céréales se trouvent dans leur chapitre respectif.

- La plupart des recettes de céréales peuvent servir à farcir des légumes.

Étant donné que les céréales sont les piliers d'une alimentation saine, choisir des céréales de culture BIOlogique est un geste positif non seulement pour sa santé mais également pour celle de la planète.

TOUT SUR LA PRÉPARATION DES CROQUETTES

Voici un choix d'aliments qui peuvent entrer dans la préparation des croquettes. On peut en utiliser un ou plusieurs à la fois.

BASE:

- Céréales cuites et/ou flocons et/ou semoule.
- Légumineuses cuites et écrasées (les lentilles peuvent être entières), tofu ou okara (pulpe de soya).
- Pain mis en chapelure au mélangeur ou robot.

AJOUTS:

- Graines ou noix moulues.
- Légumes crus râpés ou cuits.
- Fromage râpé ou poudre de lait.
- Un peu d'huile pour empêcher de sécher.

ASSAISONNEMENTS: TRÈS IMPORTANT

- Ail, oignons ou échalotes émincés.
- Herbes au choix.
- Levure alimentaire.
- Algues en poudre, gomashio, miso ou tamari.
  Un peu de concentré en poudre pour soupe.

LIANT:

- Oeuf. La quantité varie selon la grosseur de l'oeuf et de la consistance du mélange.
- Béchamel épaisse.
- Un peu de farine pour épaissir. On peut utiliser d'autres variétés que le blé comme la farine de riz, d'avoine, d'orge.

MÉTHODE:

- Mélanger les ingrédients, afin d'obtenir une consistance épaisse.
- Façonner en croquettes, à la main ou à la cuillère.

CUISSON:

- Cuire au four à 180°C (350°F) sur une tôle légèrement huilée sans retourner ou cuire à feu moyen des deux côtés, dans une poêle huilée.

PRÉSENTATION:

On peut apprêter la même recette sous forme de:

- **Pâté ou pain:** placer dans un moule huilé, cuire au four. Servir nature ou garni d'une sauce. La consistance peut alors être un peu plus liquide. Ex.: rajouter du jus de tomate, bouillon ou autre liquide.
- **Petits pâtés individuels:** placer le mélange dans des moules à muffins huilés.
- **Galette:** cuire entière dans une poêle à feu moyen, ou au four. S'assurer que l'intérieur est bien cuit. Servir en pointes.
- **Tarte, tourtière, tourte ou pâté en croûte:** déposer dans de la pâte à tarte.
- **Boulettes:** former le mélange en boule et cuire 15-20 minutes dans une sauce ou une soupe de son choix. Dans ce cas, le mélange doit être bien ferme.

CE NE SONT PAS LES POSSIBILITÉS QUI MANQUENT!

I. Avoine

- L'avoine s'utilise principalement sous forme de flocons.
- Les choisir entiers plutôt que coupés (instantanés), car plus nutritifs.
- Les flocons d'avoine sont servis au déjeuner sous forme de müesli, gruau, crêpe; au dîner ou souper en croquettes, soupe, pâté ou comme dessert.
- Ils épaississent une soupe en un rien de temps.
- Les passer au mélangeur pour obtenir de la farine.

RECETTES À BASE DE FLOCONS D'AVOINE

● **Müesli** 1 PORTION

60 ml (1/4 tasse) de flocons d'avoine **entiers**; tremper toute la nuit, dans juste assez d'eau fraîche pour recouvrir.

LE PRINCIPE: le trempage conserve davantage la valeur nutritive que la cuisson. La veille, avant de tremper, ajouter au choix: graines de tournesol, flocons de riz, sarrasin blanc ou rôti, noix de coco ou fruits séchés.

Le matin, servir froid ou chaud avec du lait et/ou yogourt. Ne sucrez pas, râpez-y plutôt une pomme!

Déjeuner simple et soutenant, si facile à préparer en petites ou grandes quantités.

● **Granola** 10 - 12 PORTIONS

750 ml (3 t.) de flocons d'avoine	60 ml (1/4 t.) de graines de sésame
250 ml (1 t.) de noix de coco	250 ml (1 t.) de fruits séchés coupés
250 ml (1 t.) de graines de tournesol	60 ml (1/4 t.) d'huile de carthame
250 ml (1 t.) d'amandes effilées	60 ml (1/4 t.) de miel

- Utiliser une grande casserole, y réchauffer le miel et l'huile pour les rendre très liquides.
- Ajouter les ingrédients, sauf les fruits secs. Bien mélanger.
- Mettre la casserole au four à 180°C (350°F) et remuer aux 10 minutes en grattant bien le fond et les côtés qui grillent plus vite. Au bout de 30 minutes, le granola est prêt. Ne pas trop griller.

VARIANTE: faire dorer sur le poêle à feu moyen en remuant constamment.

- Ajouter les fruits secs, laisser refroidir et garder au sec dans un pot bien fermé.

  * Pour une plus grande digestibilité, servir trempé ou cuit.

  * Les composantes peuvent varier à l'infini.

● Barres de granola

- Bien lier des granolas avec des oeufs, 2 à 4 selon la grosseur des oeufs et la grandeur de votre plaque à biscuit. 1 plaque à biscuits = 4 tasses de granola.
- Cuire au four à 180°C (350°F) pendant 30 minutes.
- Couper, refroidir. Excellente collation!

● Gruau 1 PORTION

75 ml (1/3 t.) de flocons d'avoine
150 ml (2/3 t.) d'eau bouillante

- Cuire 20 minutes à feu doux. Servir avec lait et/ou yogourt. Saupoudrer d'un peu de cannelle si désiré. Une pomme râpée ou un fruit de la saison ajoute au délice.
- Pour un gruau différent, griller à sec les flocons d'avoine dans une poêle en fonte, verser l'eau et cuire. Tous les grains se détachent.
- Agrémenter avec des graines au choix ou des noix.
- VARIANTE: essayer avec des flocons de seigle ou de blé, un de ces bons matins!

● Croquettes d'avoine 8 CROQUETTES

250 ml (1 t.) de flocons d'avoine   15 ml (1 c. à s.) de tamari
3 oeufs battus   5 ml (1 c. à thé) de basilic
1 oignon finement haché   1 ml (1/4 c. à thé) de thym
3 gousses d'ail émincées

- Bien mélanger tous les ingrédients. Laisser reposer 20 min.
- Verser à la cuillère dans une poêle huilée et cuire des deux côtés; ou cuire 20 minutes au four à 180°C (350°F) sur une plaque légèrement huilée.

Servir nature avec une sauce tomate ou à l'oignon, etc., accompagnées de carottes et choux de Bruxelle cuits à la vapeur.

VARIANTE:

- Ajouter 125 ml (1/2 t.) de fromage râpé ou de graines moulues à la préparation de base.

POUR MIEUX RÉUSSIR, **LIRE** TOUJOURS LES RECETTES **EN ENTIER** AVANT DE COMMENCER.

II. Blé

MÉTHODE DE CUISSON

- Laver et tremper les grains de blé à l'eau froide dans 3 fois leur volume en eau, pendant 8 heures.
- Égoutter, porter l'eau de trempage à ébullition, ajouter les grains et couvrir.
- Cuire dans l'eau de trempage pendant 1 1/2 - 2 heures.

Les grains de blé cuits restent croquants sous la dent.

Servir en casserole, au four, ajouté à la pâte à pain, etc.

● **Pilaf de lentilles et blé** 4 PORTIONS

1 oignon émincé
1 carotte en fines lanières
1 branche de céleri coupée en biseau
15 ml (1 c. à s.) d'huile de carthame
375 ml (1 1/2 t.) de blé cuit (1/2 t. cru)

250 ml (1 t.) de lentilles cuites
5 ml (1 c. à thé) de graines de carvi
Une pincée de thym, un soupçon de sauge
125 ml (1/2 t.) de jus de tomate

- Sauter les légumes dans l'huile jusqu'à ce qu'ils soient tendres.
- Ajouter le blé, les lentilles, le carvi, les herbes et le jus.
- Couvrir et cuire 5 minutes.

Servir chaud, précédé d'une crudité.

VARIANTES: - Utiliser du blé germé ou en flocons et des lentilles germées.

- Utiliser du seigle entier ou en flocons.

BOULGHOUR: méthode de cuisson

. Laver le boulghour et verser dans 1 1/2 fois son volume en eau bouillante.

. Cuire à feu doux 10 minutes.

● **Taboulé** 4 - 6 PORTIONS

Salade libanaise à base de persil, menthe, tomates et boulghour (blé concassé, précuit). Rafraîchissante et vite préparée. Un repas très apprécié, surtout l'été!

375 ml (1 1/2 t.) de boulghour
625 ml (2 1/2 t.) d'eau
375 ml (1 1/2 t.) de pois chiches cuits
375 ml (1 1/2 t.) de persil frais HACHÉ FIN
125 ml (1/2 t.) de menthe fraîche **ou** 30 ml (2 c. à s.) de menthe séchée

3 tomates moyennes en cubes
4 échalotes émincées
125 ml (1/2 t.) de jus de citron ou moins selon le goût
7 ml (1 1/2 c. à thé) de sel
2 gousses d'ail ou plus au goût
60 ml (1/4 t.) d'huile d'olive

. Porter l'eau à ébullition. Y verser le boulghour. Lorsque l'ébullition est revenue, réduire la chaleur au minimum. Cuit en 10 minutes.

. Refroidir (plonger le chaudron dans l'eau froide ou réfrigérer).

. Mélanger le boulghour et les autres ingrédients.

. Laisser reposer 1 heure au froid avant de servir sur un lit de laitue.

● **Boulghour espagnol** 4 - 6 portions

1 oignon en rondelles
1/2 poivron vert en lanières
2 gousses d'ail écrasées
250 ml (1 t.) de boulghour cru
4 tomates coupées en dés
30 ml (2 c. à s.) d'huile

250 ml (1 t.) d'eau
15 ml (1 c. à s.) de tamari
5 ml (1 c. à thé) de basilic
2 ml (1/2 c. à thé) d'origan
paprika, une pincée de thym, algues moulues (kelp + cayenne)

- Faire revenir oignon, ail, poivron et boulghour dans l'huile, jusqu'à ce que l'oignon soit doré et le boulghour imprégné d'huile.

- Ajouter tomates et assaisonnements.

- Ajouter l'eau, couvrir, porter à ébullition, réduire la chaleur et cuire jusqu'à absorption complète de l'eau.

Servir avec des pois mange-tout cuits quelques minutes à la vapeur. Pour compléter les protéines, ajouter des cubes de tofu ou un produit laitier.

● Casserole de boulghour au céleri 6 PORTIONS

2 oignons hachés fin	375 ml (1 1/2 t.) de boulghour
5 branches de céleri hachées finement	1 litre (4 t.) de lait de soya **ou** autre
2 ml (1/2 c. à thé) de graines de céleri	375 ml (1 1/2 t.) de fromage gruyère râpé
15 ml (1 c. à s.) d'huile	Tamari, persil, origan

- Faire revenir oignons, céleri, graines de céleri dans l'huile.

- Ajouter le boulghour. Mettre dans un plat allant au four.

- Ajouter lait, fromage et assaisonnements.

- Mettre la chapelure, couvrir et cuire au four 30 minutes à 180°C (350°F). Découvrir et dorer un peu.

VARIANTES:

- **Boulghour aux carottes:** remplacer le céleri et les graines de céleri par 4 carottes râpées et 30 ml (2 c. à thé) de basilic.

- **Boulghour au brocoli:** remplacer le céleri et les graines de céleri par 625 ml (2 1/2 tasses) de brocoli haché et 5 ml (1 c. à thé) d'estragon.

IDÉES DE RECETTES

- Cuire le boulghour avec le kasha 10 minutes. Délicieux. Servir nature parsemé de persil frais haché fin.

- Utiliser pour farcir des légumes. Refroidi, fait d'excellentes salades.

- Il est pratique, car de cuisson rapide. Bon pour dépannage ou repas léger.

- Il existe du boulghour fin, moyen, gros. Le plus gros donne de meilleurs résultats.

III Maïs

Au Québec, le maïs se consomme surtout frais, en épi. Séché il devient une céréale qu'on utilise sous forme de maïs à éclater, de semoule et de farine.

● Maïs soufflé

- Chauffer un chaudron à fond épais.

- Ajouter une grosse goutte d'huile de maïs, afin que les grains ne collent pas. Étaler le maïs dans le fond, couvrir.

- Agiter le chaudron en décrivant un cercle jusqu'à ce que tous les grains soient éclatés.

- Assaisonner avec de la levure alimentaire et du tamari, ou un peu de parmesan.

Servir comme céréale du matin, pour accompagner une salade lors d'un repas léger, comme collation soutenante pour les enfants ou dans la soupe!

● Casserole à la semoule de maïs   6 - 8 PORTIONS

250 ml (1 t.) de semoule de maïs
750 ml (3 t.) d'eau
Herbes et légumes (facultatif)
500 ml (2 t.) de sauce tomate
2 courgettes (zucchinis) tranchées
15 ml (1 c. à s.) d'huile d'olive
15 ml (1 c. à s.) de tamari

- Dans un chaudron à fond épais, porter l'eau à ébullition et y verser la semoule de maïs en pluie.

- Porter de nouveau à ébullition et cuire 20 minutes à feu doux en remuant fréquemment jusqu'à épaississement.

- Verser dans un moule d'environ 20 x 25 cm (8 x 10 po). Laisser tiédir.

- Auparavant, on peut ajouter des herbes et des légumes variés à moins qu'ils soient déjà incorporés à la sauce tomate.

- Verser la sauce tomate sur la semoule.

- Sauter les courgettes dans l'huile d'olive. Assaisonner au tamari.

- Déposer les courgettes sur la sauce. Cuire à 180°C (350°F) 30 minutes.
- Saupoudrer de parmesan ou de levure alimentaire avant de servir.

● **Polenta** 6 PORTIONS

Vous aimerez la couleur, la texture, la versatilité de la polenta, et c'est si facile à faire. Essayez!

1 litre (4 t.) d'eau
250 ml (1 t.) de semoule de maïs

- Porter l'eau à ébullition. Y verser la semoule en pluie en remuant avec un fouet.
- Cuire environ 20 minutes à feu doux jusqu'à épaississement.
- Étaler dans un plat, presser à 2-3 cm d'épaisseur et laisser refroidir.
- En refroidissant, la semoule se solidifie. Découper en carrés.

UTILISATION:

- Servir au déjeuner, tartinée de beurre d'amande et accompagnée de bananes.
- Servir chaude, nappée d'une sauce tomate.
- Sauter la polenta en cubes et la servir avec des fèves en casserole.
- Faire revenir, ajouter des herbes et gratiner.
- Utiliser comme accompagnement à la place du pain.
- Ajouter du fromage pendant la cuisson de la semoule.
- Utiliser comme fond de tarte.

IV Millet

MÉTHODE DE CUISSON

- Bien laver le millet et l'égoutter.
- Le griller légèrement dans une poêle en fonte, à sec: accentue sa saveur et empêche les grains de coller.

- Mettre les grains dans 1 1/2 fois leur volume en eau très chaude. L'eau bouillante le fait éclater trop vite.

- Porter à ébullition, réduire la chaleur au minimum, couvrir et cuire pendant 20 minutes.

● Tourtière au millet et flocons d'avoine   6 PORTIONS

250 ml (1 t.) de millet cru
375 ml (1 1/2 t.) d'eau très chaude
ou 625 ml (2 1/2 t.) de millet cuit
1 gros oignon haché fin
250 ml (1 t.) de champignons tranchés
3 gousses d'ail émincées
15 ml (1 c. à s.) d'huile de carthame
250 ml (1 t.) de flocons d'avoine

10 ml (2 c. à thé) de basilic
30 ml (2 c. à s.) de persil frais
30 ml (2 c. à s.) de levure alimentaire
2 ml (1/2 c. à thé) de paprika
1 ml (1/4 c. à thé) de clou de girofle
2 ml (1/2 c. à thé) de thym
250 ml (1 t.) de liquide: bouillon de légumes, miso dissous dans l'eau, ou béchamel

- Laver le millet, mettre dans l'eau très chaude. Porter à ébullition, réduire la chaleur au minimum et cuire 20 minutes ou utiliser 2 1/2 tasses de millet déjà cuit.

- Sauter légèrement les légumes dans l'huile, dans un wok ou une poêle, ajouter les flocons d'avoine et bien remuer.

- Ajouter le millet cuit, assaisonner, pour rappeler le goût d'une tourtière traditionnelle.

- Ajouter suffisamment de liquide pour obtenir la consistance d'un mélange à tourtière; il ne faut pas que le mélange soit sec.

- Verser cette préparation dans une pâte à tarte de 10 pouces, recouvrir d'une seconde abaisse dans laquelle on aura fait des ouvertures, bien presser les bords ensemble.

- Cuire à 180°C (350°F) 20 minutes. Pour un dessus plus doré, badigeonner la pâte d'un peu de jaune d'oeuf.

Servir nature ou avec une sauce brune ou une sauce à spaghetti. Accompagner de légumes verts.

VARIANTES:

- Cuire du sarrasin blanc avec le millet.

- Incorporer des lentilles cuites au mélange.

- Ajouter des carottes râpées et/ou 1 pomme de terre en cubes.

- Le mélange peut se manger tel quel, sans le faire cuire dans une pâte à tarte.

● Plat millet-tofu aux légumes 4 - 5 PORTIONS

250 ml (1 t.) de millet cru
375 ml (1 1/2 t.) d'eau très chaude
ou 625 m l (2 1/2 t.) de millet cuit
225 g (1/2 bloc) de tofu en gros cubes
2 gousses d'ail émincées
2 branches de céleri coupées en biseau

1 poireau en lanières
1 poivron rouge en lanières
30 ml (2 c. à s.) d'huile de carthame
30 ml (2 c. à s.) de tamari
5 ml (1 c. à thé) d'estragon
Poudre d'algues et d'ail, paprika

. Laver le millet, mettre dans l'eau très chaude. Porter à ébullition, réduire la chaleur au minimum et cuire 20 minutes **ou** utiliser 2 1/2 tasses de millet déjà cuit.

. Dans un wok, un grand chaudron ou une poêle, sauter les légumes (dans l'huile) en commençant par les plus co-riaces, ajouter le tofu et les autres légumes, cuire jusqu'à tendreté. Les légumes doivent toujours rester croquants.

. Y ajouter le millet cuit, assaisonner, goûter, rectifier l'assai-sonnement s'il y a lieu.

Servir accompagné d'une salade de verdure et de carottes.

VARIANTE:

- Remplacer le tofu par 250 ml (1 tasse) de légumineuses cuites (fèves rouges ou soya, etc.).

● Pâté presque chinois au millet 4 - 6 PORTIONS

250 ml (1 t.) de millet cru
375 ml (1 1/2 t.) d'eau très chaude
ou 625 ml (2 1/2 t.) de millet cuit
3 carottes, 3 oignons hachés fin
30 ml (2 c. à s.) d'huile de carthame

5 pommes de terre en purée
2 échalotes
1 ml (1/4 c. à thé) de poudre d'ail
15 ml (1 c. à s.) de tamari
5 ml (1 c. à thé) de ciboulette
1 ml (1/4 c. à thé) de thym

. Laver le millet, mettre dans l'eau très chaude. Porter à ébullition, réduire la chaleur au minimum et cuire 20 minutes **ou** utiliser 2 1/2 tasses de millet déjà cuit.

. Après la cuisson, assaisonner avec le tamari et les herbes.

. Chauffer l'huile dans un wok et sauter les légumes.

- Préparer la purée de pommes de terre avec les échalotes et la poudre d'ail.
- Étaler le millet dans un plat allant au four.
- Ajouter les légumes et finir avec la purée de pommes de terre.
- Saupoudrer de levure alimentaire ou de fromage.
- Mettre au four 15 minutes à 180°C (350°F).
- Couvrir de persil et servir.

VARIANTE:

- Remplacer la purée de pommes de terre par une purée de courge orangée ou de rutabaga et carotte.

● Escalopes de millet 8 CROQUETTES

500 ml (2 t.) de millet cuit	5 ml (1 c. à thé) de basilic
1 gousse d'ail émincée	30 ml (2 c. à s.) de tamari
1 échalote hachée fin	2 ml (1/2 c. à thé) de poudre
250 ml (1 t.) de champignons hachés	d'algues
1 carotte râpée finement	2 ml (1/2 c. à thé) de thym
	1 oeuf pour lier

- Sauter l'ail, l'échalote, les champignons.
- Ajouter la carotte, le millet, le tamari et les assaisonnements
- Lier avec 1 oeuf ou 2 si nécessaire
- Cuire des 2 côtés dans une poêle huilée ou sur une tôle au four 180°C (350°F) pendant 20 minutes.

Servir avec une sauce aux champignons et des carottes cuites à la vapeur; ne pas oublier de commencer le repas par une salade de crudités.

IDÉES DE RECETTES

Potage, crème ou soupe

- Même mode de cuisson; utiliser plus d'eau et de légumes et cuire plus longtemps.
- Les grains éclatent et donnent une texture plus veloutée.
- À la fin de la cuisson on assaisonne légèrement.

- Pour épaissir toutes les soupes, une poignée de millet suffit.

Croquettes

- Pour donner consistance au millet cuit, ajouter soit de la farine, soit des graines moulues, soit de la chapelure de pain et lier avec un oeuf.

Dessert

- Accompagne bien les fruits d'été en aspic.
- Cuire le millet, mouler en ajoutant les fruits frais; démouler et servir.

Salade

- Le millet refroidi est délicieux en salade, avec de la verdure, des légumes ou des germes.

Fond de tarte

- Utiliser le reste de millet cuit en le pressant dans une assiette à tarte huilée. Idéal comme fond de quiche.

Farine

- Moudre du millet dans un mélangeur ou un moulin à café et l'utiliser pour les crêpes.

Pour farcir des légumes

- Mélanger du millet et des petits cubes de légumes, farcir poivron, courgette, aubergine, tomate.

V Orge

CUISSON DE BASE

- Laver l'orge et tremper une nuit (facultatif). Cuire dans un chaudron avec 3 fois son volume en eau.
- Porter l'eau de trempage à ébullition, y ajouter l'orge, couvrir et cuire 1 heure à feu doux.
- Donne une texture floconneuse (les grains éclatent) et douce.

• Rôti d'orge 4 - 6 PORTIONS

250 ml (1 t.) d'orge cru, (3 t.) cuit   30 ml (2 c. à s.) d'huile de carthame
750 ml (3 t.) d'eau   30 ml (2 c. à s.) de tamari
1 gros oignon haché   30 ml (2 c. à s.) de levure alimentaire
2 gousses d'ail émincées   15 ml (1 c. à s.) de basilic
625 ml (2 1/2 t.) de légumes hachés 5 ml (1 c. à thé) de thym
au choix   2 oeufs battus

- Laver, égoutter et griller légèrement les grains dans une poêle en fonte, à sec.

- Amener l'eau à ébullition, saler, ajouter l'orge, réduire la chaleur, couvrir et cuire à feu moyen environ 1 heure.

- Sauter les légumes dans l'huile chaude, pendant 5 minutes.

- Les ajouter à l'orge cuit, assaisonner au goût.

- Incorporer les oeufs battus, placer dans un moule et cuire 40 minutes à 180°C (350°F)

VARIANTES:

- Servir, nappé d'une sauce tomate simple.

- Former en croquettes et cuire au four 20 minutes à 180°C (350°F).

- Déposer entre 2 abaisses et cuire 40 minutes à 190°C (375°F). Cela prend l'allure d'une tourtière.

- Omettre les oeufs et servir comme ''Plat d'orge aux légumes''.

- Omettre les oeufs et remplacer les légumes par 250 ml (1 t.) de champignons: plat d'orge aux champignons.

VI Riz

CUISSON DE BASE

- Bien laver le riz.

- Le sécher dans une poêle en fonte, à sec, et le griller légèrement: développe l'arôme et empêche les grains de coller (facultatif).

- Mettre le riz dans 2 fois son volume en eau bouillante.

- Lorsque l'ébullition est revenue, réduire la chaleur au minimum, couvrir et cuire 45 minutes.

AUTRES POSSIBILITÉS

- Faire tremper le riz 8 heures dans 2 fois son volume en eau.
- Amener l'eau de trempage à ébullition, ajouter le riz, réduire la chaleur au minimum, couvrir et cuire 30 minutes.
- Faire cuire le riz au four, ce qui donne des grains bien détachés. Déposer le riz lavé dans un plat allant au four, couvrir de 2 fois son volume en eau bouillante et cuire 45-60 minutes à 180°C (350°F).

● Croquettes rizées! 8 CROQUETTES

250 ml (1 t.) deriz complet, moyen	125 ml (1/2 t.) de chapelure
500 ml (2 t.) d'eau ou autre liquide	ou de farine ou d'amandes moulues
2 ml (1/2 c. à thé) de sel marin	1-2 oeufs
1 oignon haché fin	15 ml (1 c. à s.) de ciboulette
1 carotte râpée	15 ml (1 c. à s.) de tamari

- Laver le riz et le déposer dans l'eau bouillante. Saler, réduire la chaleur au minimum et cuire 45 minutes, ou utiliser 2 1/2 tasses de riz déjà cuit.
- Sauter l'oignon quelques minutes dans un peu d'huile.
- Ajouter le riz et le reste des ingrédients.
- Verser à la cuillère dans une poêle chaude légèrement huilée et cuire des deux côtés ou cuire au four, sur une tôle, 20 minutes à 180°C (350°F).

Servir avec des oignons et betteraves sautés, précédées d'une salade de luzerne.

● Riz d'Espagne 4 PORTIONS

Ici, le choix des épices et les tomates donneront au riz un goût piquant caractéristique.

250 ml (1 t.) de riz complet ou basmati complet
500 ml (2 t.) d'eau bouillante
3 - 4 branches de céleri coupées
1 poivron vert en cubes
1 oignon en petites lamelles
2 gousses d'ail écrasées
2 ml (1/2 c. à thé) de graines de cumin

15 ml (1 c. à s.) d'huile de carthame
3 tomates moyennes en cubes
2 ml (1/2 c. à thé) de sel ou de tamari
2 ml (1/2 c. à thé) de poudre de chili
2 ml (1/2 c. à thé) d'origan
2 ml (1/2 c. à thé) de poudre d'algues

- Laver le riz et mettre dans l'eau bouillante. Lorsque l'ébullition est revenue, réduire la chaleur au minimum et cuire 45 minutes **ou** utiliser 3 tasses de riz déjà cuit.

- Sauter tous les légumes et les graines de cumin dans un wok, sauf les tomates. Lorsque tendres, ajouter les tomates et les assaisonnements.

- Ajouter le riz et mélanger. Servir chaud.

On peut ajouter 1/3 tasse de cheddar râpé, au mélange.

● Riz vert 6 PORTIONS

C'est un plat facile à préparer, pour apporter chez des amis lors d'un souper communautaire. À couper en carrés colorés.

750 ml (3 t.) de riz complet cuit
75 ml (1/3 t.) de persil haché
125 ml (1/2 t.) d'épinards crus, hachés
30 ml (2 c. à s.) d'oignon émincé

5 ml (1 c. à thé) de sel
75 ml (1/3 t.) de parmesan
60 ml (1/4 t.) d'huile ou moins
2 oeufs battus
250 ml (1 t.) de lait

- Mélanger tous les ingrédients et verser dans un moule de 23 cm x 23 cm (9 po x 9 po).

- Cuire au four à 180°C (350°F) pendant 45 minutes.

- Refroidir et couper en carrés.

IDÉES DE RECETTES

- Servir le riz refroidi en salade avec des légumes colorés tels

que poivron rouge, poivron vert, grains de maïs, assaisonner et ajouter un filet d'huile d'olive.

- Servir le riz à grains moyens ou courts (ou tout riz à texture
collante) coloré en rose avec de la poudre de betteraves
et former en boules à l'aide d'une cuillère à crème glacée.
Placer dans une belle grande assiette avec des algues aramé ou des bouquets de brocolis attendris. Jouer avec les
formes et la couleur aiguise l'appétit. On peut ainsi servir
du riz rose, riz vert, riz jaune... selon l'inspiration, la saison.

Riz vert: riz additionné d'échalotes, poivron vert, persil, ciboulette, etc.

Riz jaune: riz additionné de cari, noix, yogourt (facultatif).
Servir entouré de carottes rapées.

- Essayer le riz servi avec oignon, céleri, pomme, noix;
sautez-les pour un plat chaud, ou servez-les crus, en morceaux, pour une salade. Goût exquis et surprenant.

VII Sarrasin

CUISSON DE BASE

- Laver les grains et les placer dans 1 1/2 fois leur volume
en eau très chaude. L'eau bouillante les fait éclater trop rapidement.

- Amener à ébullition, couvrir, réduire la chaleur au
minimum et cuire 10 minutes jusqu'à ce que toute l'eau
soit absorbée.

NOTES:

* Le sarrasin se mange aussi sans cuisson, seulement après
trempage avec d'autres ingrédients. Voir recette de
müesli.

* Le sarrasin se présente sous forme de:
  - grain entier avec son enveloppe noire. On s'en sert
  pour la germination sur terreau et on en fait de la farine
  pour nos inégalables galettes!
  - sarrasin blanc, au goût aimé de tous.
  - sarrasin rôti = kasha, au goût plus prononcé.

* Le sarrasin cuit en 10 minutes. On a intérêt à l'inclure sou-

vent au menu. Sa texture et sa couleur permettent de le substituer à la viande hachée, dans les recettes tradition-nelles.

● Pâté chinois au sarrasin 4 - 6 PORTIONS

250 ml (1 t.) de sarrasin blanc
375 ml (1 1/2 t.) d'eau très chaude
1 oignon haché
1 poivron vert en cubes
250 ml (1 t.) de champignons tranchés

30 ml (2 c. à s.) d'huile de carthame
15 ml (1 c. à s.) de tamari
2 ml (1/2 c. à thé) de basilic
2 ml (1/2 c. à thé) de poudre d'algues
2 ml (1/2 c. à thé) de thym

- Laver et ajouter le sarrasin dans l'eau très chaude. Porter à ébullition, couvrir, réduire la chaleur au minimum et cuire 10 minutes.

- Sauter les légumes dans l'huile; les garder croquants.

- Mélanger sarrasin et légumes, et assaisonner.

- Déposer ce mélange dans un plat allant au four.

- Ajouter du maïs (de l'épi ou congelé).

- Recouvrir d'une purée de légumes cuits à la vapeur: pom-mes de terre, carotte, rutabaga ou, pour varier, une purée de courges d'hiver (citrouille, courge poivrée, buttercup, etc.). La purée de courge a une couleur ravissante et une saveur sucrée.

- Saupoudrer de levure alimentaire et réchauffer au four une quinzaine de minutes afin de bien harmoniser les saveurs.

Servir avec des brocolis à la vapeur, précédé d'une salade.

VARIANTE:

- Ajouter des lentilles cuites au mélange de sarrasin.

● Sarrasin simple comme bonjour 4 - 6 PORTIONS

250 ml (1 t.) de sarrasin blanc
ou du kasha, au choix
375 ml (1 1/2 t.) d'eau très chaude

Beaucoup de persil haché
Tamari au goût

- Laver et cuire le sarrasin comme pour la recette précé-dente.

- Garnir de persil et assaisonner d'un peu de tamari.

- Servir nature avec un légume (brocoli cuit quelques minu

tes à la vapeur) et accompagné de 1 ou 2 tranches de tofu grillé.

NOTE: En général les enfants aiment manger les mets "non-mélangés".

• Croquettes à la sarrasine 8 CROQUETTES

250 ml (1 t.) de sarrasin blanc ou du kasha
375 ml (1 1/2 t.) d'eau très chaude
1 oignon haché fin
1 gousse d'ail écrasée
5 ml (1 c. à thé) d'huile de carthame
15 ml (1 c. à s.) de ciboulette
15 ml (1 c. à s.) de tamari
2 ml (1/2 c. à thé) de basilic
1 oeuf
60 ml (1/4 t.) de farine ou chapelure

- Laver et cuire le sarrasin selon la méthode de base.
- Mélanger les ingrédients et ajouter de la farine ou de la chapelure pour former de belles croquettes.
- Cuire dans une poêle huilée ou au four sur une tôle à 180°C (350°F) pendant 20 minutes.
- Servir avec une sauce brune et des légumes d'accompagnement.

VARIANTE:
- Sans oeuf. Omettre l'oeuf, incorporer 125 ml (1/2 t.) de farine au sarrasin cuit, assaisonner et cuire.

VIII Pâtes alimentaires

Les plats de pâtes alimentaires faites de farine entière et biologique constituent des mets principaux nutritifs, réjouissants et appréciés de toute la famille.

LA CUISSON

Cuire les pâtes dans 3 fois leur volume en eau bouillante salée. Le sel permet de minimiser le passage des minéraux dans l'eau de cuisson. Récupérer cette eau et l'utiliser comme bouillon.

250 g (1/2 lb) de pâtes crues donnent 4 tasses de pâtes cuites = 4 portions.

- **Lasagne à la béchamel** 8 PORTIONS

250 g de lasagne
ou 6 à 8 pâtes selon la largeur
Eau bouillante salée
60 ml (4 c. à s.) d'huile de carthame
90 ml (6 c. à s.) de farine de blé
750 ml (3 t.) de lait de soya ou autre
15 ml (1 c. à s.) de persil haché
2 ml (1/2 c. à thé) de sel
ou 5 ml (1 c. à thé) de tamari
1 pincée de muscade

250 ml (1 t.) de fromage râpé,
gruyère ou autre
3 gousses d'ail émincées
1 oignon haché
1 poivron vert en cubes
1 carotte râpée
250 ml (1 t.) de brocoli
250 ml (1 t.) de champignons
125 ml (1/2 t.) de chapelure
60 ml (1/4 t.) de parmesan râpé
30 ml (2 c. à s.) d'huile d'olive

- Cuire les pâtes à l'eau salée.

- Faire une béchamel avec l'huile, la farine et le lait. Cuire jusqu'à épaississement. Ajouter les assaisonnements et le fromage.

- Faire revenir l'ail et l'oignon dans un peu d'huile et ajouter les autres légumes. Sauter quelques minutes sans plus.

- Monter la lasagne dans un plat rectangulaire allant au four. Mettre d'abord de la sauce, puis des pâtes, puis les légumes et répéter. Terminer avec la sauce.

- Bien mêler chapelure, fromage parmesan et l'huile. Couvrir la lasagne de ce mélange et cuire à 180°C (350°F) pendant 35 minutes.

- **Spaghetti persil, per l'ail** 4 PORTIONS

250 g (1/2 lb) de spaghetti
Eau ou un bouillon de légumes
3 gousses d'ail écrasées
30 ml (2 c. à s.) d'huile d'olive
125 ml (1/2 t.) de persil haché fin

Une pincée de poivre de cayenne
Quelques gouttes de tamari
ou 2 ml (1/2 c. à thé) de poudre
d'algues: kelp et cayenne.

- Cuire les spaghettis "al dente" à l'eau bouillante salée (ou dans le bouillon)

- Sauter l'ail dans l'huile d'olive chaude

- Ajouter le cayenne et 6 c. à s. de bouillon de cuisson.

- Ajouter le persil. Verser cette sauce sur les spaghettis bien égouttés.

Servir avec du parmesan et des lanières d'olives noires accompagné de rondelles de carottes à la vapeur.

- **Macaroni aux épinards** 4 PORTIONS

750 ml (3 t.) de macaroni cuit	5 ml (1 c. à thé) d'origan
250 g (1/2 lb) d'épinards crus	2 ml (1/2 c. à thé) de paprika
30 ml (2 c. à s.) de tamari	15 ml (1 c. à s.) d'huile d'olive

- Verser les macaronis cuits dans un plat allant au four, y mêler les épinards hachés.

- Assaisonner et y incorporer l'huile d'olive.

- Cuire au four à 180°C (350°F) 15 minutes avec un couvercle. Gratiner avec 125 ml (1/2 t.) de cheddar râpé, si désiré.

- **Coquillettes à la sauvette** 4 PORTIONS

250 g (2 t.) de coquillettes	2 ml (1/2 c. à thé) de marjolaine
1,5 l (6 t.) d'eau salée ou bouillon	2 ml (1/2 c. à thé) d'origan
2 oignons émincés	2 ml (1/2 c. à thé) de basilic
2 gousses d'ail écrasées	225 g (1 t.) de fromage cottage
30 ml (2 c. à s.) d'huile	**ou** ricotta crémeux.
400 g (1 bte) de tomates égouttées	

- Porter l'eau ou le bouillon à ébullition, ajouter les coquillettes et cuire ''al dente''.

- Chauffer l'huile, y sauter l'oignon et l'ail. Couper les tomates en morceaux, les ajouter aux oignons et assaisonner.

- Battre le cottage en crème onctueuse et assaisonner de poudre d'algues et d'herbes.

- Mettre les coquillettes dans un bol et y ajouter le mélange aux tomates, garnir avec le fromage.

- **Spirales au tofu** 4-6 PORTIONS

500 ml (2 t.) de spirales	30 ml (2 c. à s.) d'huile de carthame
1,5 l (6 t.) d'eau bouillante salée	1/2 brocoli, bouquets plus tige
450 g (1 bloc) de tofu en gros cubes	coupés en morceaux
4 gousses d'ail émincées	1 poivron rouge en lanières
1 pouce de gingembre frais râpé	Tamari, basilic, poudre d'algues au
1 oignon en lamelles	goût

- Cuire les spirales ''al dente'', dans l'eau bouillante salée.

- Chauffer l'huile dans un wok, y sauter l'ail, le gingembre, l'oignon et le tofu. Ajouter le brocoli et cuire 5 minutes.

- Ajouter le poivron et finir la cuisson. Garder croquants.

- Ajouter les spirales dans le wok et assaisonner au goût.

Servir, précédé d'une abondante salade verte ou de germes et carottes râpées, selon la saison.

VARIANTES:

- Mariner les cubes de tofu avant de les sauter pour accentuer la saveur. Voir recette du tofu mariné.

- Utiliser la recette de légumes chinois.

- Apprêter le tofu à la façon des doigts de tofu rôti.

- Ajouter une béchamel au fromage.

IDÉES DE RECETTES

Les pâtes existent sous formes multiples et se servent à toutes les sauces... et même sans sauce!

- Les nouilles soba (spaghetti au sarrasin) font d'excellentes soupes avec du miso et des légumes au choix.

- Monter vos lasagnes de différentes façons:
  - sauce tomate, pâtes, cottage, épinards, parmesan, sauce tomate, etc.
  - sauce tomate, rondelles de courge, cubes de tofu, pâtes, sauce tomate, etc.

- Servir le macaroni en salade avec des fèves rouges et des poivrons, avec une sauce à l'ail.

- Servir simplement, avec des herbes fraîches finement hachées et 15 ml (1 c. à s.) de crème fraîche.

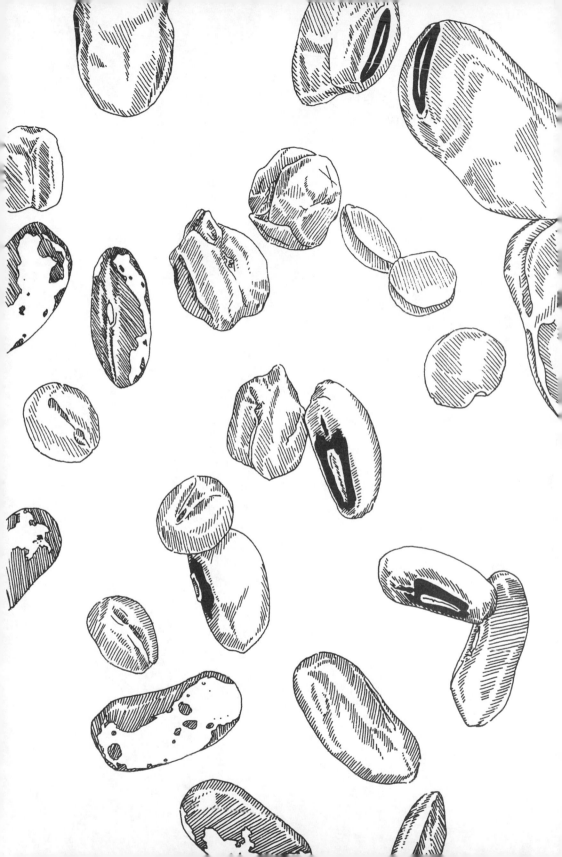

CHAPITRE II

Manger des légumineuses...

Qu'on se le dise et qu'on se le répète, la façon la plus simple de servir des légumineuses une fois par jour au menu comme apport protéinique, c'est le **trempage automatique et la cuisson à l'avance.**

QU'EST-CE QUE C'EST?

Laver - tremper - cuire - réfrigérer - congeler.

Vous pourrez ainsi préparer rapidement des repas nutritifs, simplement en les ajoutant à la soupe, au plat de céréales, à la salade, ou en les servant en casserole avec des légumes et du pain ou en les écrasant pour en faire une tartinade.

LA CUISSON DE BASE

Pour les détails, relire la partie traitant des légumineuses et la méthode gagnante dans la section ''Théorie''.

EN RÉSUMÉ:

- Trier en enlevant les débris étrangers.
- Laver et tremper à l'eau froide de 8 à 12 heures dans une quantité d'eau égale à 3 fois leur volume.
- Ne pas cuire dans l'eau de trempage; elle contient des trisaccharides qui favorisent la production de gaz intestinaux ainsi que des résidus de produits chimiques si les légumi-

neuses ne sont pas de culture BIOlogique.

- Dans un chaudron, mettre 2 pouces d'eau par-dessus les légumineuses, amener à ébullition, cuire à feu doux jusqu'à ce qu'elles s'écrasent facilement à la fourchette. Voir le tableau de temps de cuisson dans la section "Théorie".

- Elles doublent ou triplent de volume au cours de la cuisson. Se conservent 4 - 5 jours au réfrigérateur. En congeler des petites quantités à utiliser durant le mois.

1 portion de légumineuses par jour =

250 ml (1 t.) cuites pour les adultes
125 ml (1 / 2 t.) cuites pour les enfants.

* Pour habituer l'organisme, il est recommandé de commencer par 125 ml (1 / 2 t.) par jour.

● **Tarte aux fèves adukis** 4 PORTIONS

250 ml (1 t.) de fèves adukis
1 oignon haché
2 carottes râpées
1 branche de céleri hachée
15 ml (1 c. à s.) d'huile
125 ml (1 / 2 t.) de noix hachées

5 ml (1 c. à thé) de persil haché
2 ml (1 / 2 c. à thé) de basilic
1 ml (1 / 4 c. à thé) de marjolaine
Une pincée de sauge
60 ml (4 c. à s.) de pâte de tomate
30 ml (2 c. à s.) d'eau
30 ml (2 c. à s.) de tamari

- Tremper les fèves durant 8 heures, mettre dans de l'eau fraîche, amener à ébullition, réduire la chaleur et laisser mijoter 45 minutes (1 1/2 heure, si les fèves ne sont pas trempées). Donne 3 tasses cuites.

- Sauter légèrement les légumes dans l'huile chaude et assaisonner.

- Mélanger tous les ingrédients et placer dans une pâte à tarte de blé entier de 23 cm (9 po) non cuite.

- Cuire au four 35 minutes à 180°C (350°F) recouverte d'un papier aluminium ou d'une autre abaisse de pâte.

VARIANTES

- Gratiner.

- Servir la garniture d'adukis sur une céréale cuite plutôt que dans une pâte.

- Déposer dans un fond de tarte au riz, au millet ou à la semoule de maïs.

● "Saines binnes" 6 - 8 PORTIONS

500 ml (2 t.) de fèves blanches sèches
1 oignon moyen haché
2 gousses d'ail
1 1/4 l (5 t.) de bouillon de légumes non salé
1 feuille de laurier
1 oignon haché

250 ml (1 t.) de tomates en purée ou hachées
10 ml (2 c. à thé) de moutarde sèche
5 ml (1 c. à thé) de gingembre moulu
4 carottes en petites rondelles
10 ml (2 c. à thé) de sel
30 ml (2 c. à s.) d'huile d'olive

• Faire tremper les fèves toute une nuit dans 6 tasses d'eau. Jeter l'eau de trempage et les faire cuire dans 5 tasses de bouillon de légumes avec l'oignon, l'ail et la feuille de laurier. Commencer la cuisson avec du bouillon froid afin de ne pas durcir les fèves. Amener à ébullition puis laisser mijoter doucement pendant 20 à 30 minutes ou jusqu'à ce que les fèves soient attendries mais pas complètement cuites. Lorsque les fèves sont fraîches à l'automne, cette étape peut ne prendre que 10 minutes.

• Ajouter l'oignon haché, l'huile d'olive, les tomates et tous les autres ingrédients. Mélanger. Mettre dans une jarre à fèves ou dans une grande casserole en verre. Bien couvrir. Faire cuire au four à 105°C (225°F) pendant 6 à 8 heures. Les fèves seront prêtes pour le souper. Vérifier au milieu de la cuisson s'il y a suffisamment de liquide et ajouter un peu de bouillon (ou d'eau) si nécessaire.

NOTE: pour faire brunir les fèves, on peut enlever le couvercle durant la dernière heure de cuisson.

Déguster avec du BON PAIN!

● Fèves blanches de tante Blanche 2 PORTIONS

125 ml (1/2 t.) de fèves blanches
2 gousses d'ail
1 gros oignon émincé
1 grosse carotte en rondelles
1 grosse tomate en morceaux
1 poivron vert en cubes
1 clou de girofle

15 ml (1 c. à s.) d'huile
1 feuille de laurier
Thym, basilic, origan
Une pincée de poivre de cayenne
20 ml (1 1/2 c. à s.) de tamari
15 ml (1 c. à s.) de levure alimentaire

- Tremper les fèves la veille. Le lendemain, couvrir d'eau fraîche, faire bouillir 3 minutes et laisser mijoter 15-20 minutes.

- Ajouter le clou de girofle, le laurier et les herbes. Cuire 1 heure.

- Dans une poêle, sauter dans l'huile chaude, l'ail, l'oignon, les carottes, la tomate et le poivron.

- Ajouter les fèves et laissez mijoter 15 minutes.

- Ajouter le tamari et la levure alimentaire.

Servir avec du pain ou sur des nouilles ou une céréale cuite.

• Lima rapido 2 PORTIONS

500 ml (2 t.) de fèves de lima cuites	1-2 tomates en dés
1 oignon haché	2 ml (1/2 c. à thé) de thym
1 poivron vert en cubes	2 ml (1/2 c. à thé) de poudre
1 branche de céleri coupée en	d'algues
biseau	2 ml (1/2 c. à thé) de basilic
15 ml (1 c. à s.) d'huile	75 ml (1/3 t.) de persil frais

- Sauter les légumes, sauf les tomates, dans l'huile chaude.

- Ajouter les tomates, les fèves et les herbes. Cuire 5 minutes.

Servir avec du pain et une salade.

• Salade de fèves de Lima 2 PORTIONS

375 ml (1 1/2 t.) de fèves de Lima cuites	30 ml (2 c. à s.) d'échalotes
500 ml (2 t.) d'épinards frais	2 ml (1/2 c. à thé) d'aneth
1 tomate en quartiers	2 ml (1/2 c. à thé) de paprika

- Mélanger le tout.

Servir avec une sauce à salade à l'ail, sur un lit de riz ou toute autre céréale cuite, ou avec du bon pain de seigle.

● Chaudronnée de fèves rouges 4 - 6 PORTIONS

500 ml (2 t.) de fèves rouges
2 oignons hachés
2 gousses d'ail émincées
2 branches de céleri et 3 carottes
coupées en biseau
5 ml (1 c. à thé) de paprika
1 feuille de laurier
5 ml (1 c. à thé) de graines de céleri

5 ml (1 c. à thé) de poudre d'algues
5 ml (1 c. à thé) de basilic
2 ml (1/2 c. à thé) de cumin
2 ml (1/2 c. à thé) d'origan
Une pincée de poudre de chili
250 ml (1 t.) de tomates en purée
1 tomate en quartiers

- Laver et tremper les fèves pendant 8 heures.

- Les égoutter et les mettre dans un chaudron avec le laurier.

- Couvrir d'eau fraîche, amener à ébullition, réduire la chaleur et cuire 1 1/2 heure **ou** utiliser 1 litre (4 t.) de fèves déjà cuites.

- Dans un wok, sauter les légumes avec le paprika dans 15 ml (1 c. à s.) d'huile chaude.

- Ajouter les fèves, la purée de tomate et assaisonner.

- Mijoter à feu doux pendant 30 minutes et ajouter la tomate en quartiers.

Servir avec du pain ou une céréale comme le boulghour ou le riz.

● Croquettes burger rouge 4 PORTIONS

500 ml (2 t.) de fèves rouges cuites
250 ml (1 t.) de chapelure
(ou de millet ou de sarrasin cuit)
2 oignons hachés
30 ml (2 c. à s.) de pâte de tomate

2 ml (1/2 c. à thé) de thym
2 ml (1/2 c. à thé) de poudre
d'algues
1 oeuf battu
15 ml (1 c. à s.) d'huile

- Mettre les fèves en purée à la fourchette, ajouter le reste des ingrédients.

- Former en croquettes et cuire des 2 côtés dans une poêle huilée ou au four 20 minutes à 180°C (350°F).

Servir avec des légumes cuits et une salade ou dans un pain hamburger avec une tranche de tomate et de la laitue ou luzerne.

VARIANTES:

- Omettre l'oeuf et se servir du mélange pour tartiner ou pour farcir des légumes.

- On peut aussi cuire cette recette dans une abaisse.

● **Salade de lentilles et riz** 5 PORTIONS

375 ml (1 1/2 t.) de lentilles vertes cuites
375 ml (1 1/2 t.) de riz complet long cuit
2 échalotes hachées
3 gousses d'ail émincées

125 ml (1/2 t.) de persil haché
30 ml (2 c. à s.) d'huile d'olive
30 ml (2 c. à s.) de jus de citron
5 ml (1 c. à thé) de basilic
5 ml (1 c. à thé) de cari
30 ml (2 c. à s.) de tamari

. Bien mélanger, laisser reposer 15 minutes. Servir avec une salade de carotte et luzerne. Peut aussi se servir chaud.

● **Variations sur lentilles** 6 PORTIONS

750 ml (3 t.) de lentilles cuites
500 ml (2 t.) de tomates écrasées
1 oignon haché
1 poivron vert haché
5 ml (1 c. à thé) de farine de blé

2 ml (1/2 c. à thé) de sel
5 ml (1 c. à thé) de basilic
2 ml (1/2 c. à thé) de graines de céleri
Levure alimentaire

. Mélanger tous les ingrédients dans une poêle; couvrir.

. Cuire 15-20 minutes. Servir en saupoudrant 5 ml (1 c. à thé) de levure alimentaire par personne.

● **Pain de lentilles aux tomates** 4 PORTIONS

250 ml (1 t.) d'oignon haché fin
1 gousse d'ail émincée
5 ml (1 c. à thé) d'huile de carthame
15 ml (1 c. à s.) de farine de blé
5 ml (1 c. à thé) de tamari
200 ml (3/4 t.) de sauce tomate

375 ml (1 1/2 t.) de lentilles cuites (2/3 t. crues ou 2 t. germées)
200 ml (3/4 t.) de pain émietté
200 ml (3/4 t.) de noix hachées de Grenoble

. Sauter l'oignon et l'ail dans l'huile chaude, ajouter la farine et cuire un peu.

. Ajouter la sauce tomate, remuer et ajouter le reste des ingrédients.

. Mélanger, verser dans un moule huilé et cuire à 180° C (350° F) pendant 35 minutes.

Décorer avec des rondelles de poivrons et servir avec des carottes à l'anis et une salade.

VARIANTE:

- Placer dans deux abaisses de pâte comme pour une tourtière, après avoir ajouté 1 ml (1/4 c. à thé) de clou de girofle et de cannelle, si désiré. Cuire à 190°C (375°F) pendant 40 minutes.

● **Purée de pois chiches: hummus**   4 PORTIONS

500 ml (2 t.) de pois chiches cuits
175 ml (1/3 t.) de beurre de sésame
4 gousses d'ail
2 ml (1/2 c. à thé) de sel marin

60 ml (4 c. à s.) de jus de citron
5 ml (1 c. à thé) de basilic
2 ml (1/2 c. à thé) de coriandre ou de cumin (facultatif)

. Réduire tous les ingrédients en purée au robot ou au mélangeur avec 1/4 à 1/2 tasse d'eau selon la consistance désirée.

. Décorer de persil et servir comme trempette ou tartinade, arrosé d'un filet d'huile d'olive.

● **Croquettes de pois chiches: falafels** 10 CROQUETTES
(Croquettes ou boulettes épicées)

500 ml (2 t.) de pois chiches cuits
4 gousses d'ail
45 ml (3 c. à s.) de beurre de sésame
1 échalote émincée
1 oignon haché
1 oeuf battu

30 ml (2 c. à s.) de persil frais haché
2 ml (1/2 c. à thé) de coriandre
1 ml (1/4 c. à thé) de cumin moulu
1 ml (1/4 c. à thé) de poivre de cayenne
5 ml (1 c. à thé) de tamari
5 ml (1 c. à thé) de basilic

. Réduire les pois chiches en purée, puis incorporer tous les autres ingrédients.

. Façonner en croquettes ou petites boulettes, ajouter un peu d'eau si nécessaire et cuire des 2 côtés dans une poêle huilée ou badigeonner d'huile et cuire au four à 180°C (350°F) 15 minutes. La recette typique consiste à les frire dans beaucoup d'huile. Servir dans des pains pita avec tomates, salade de concombres au yogourt, ou nappés d'une sauce au tahini: voir la recette de la sauce à salade au tahini, la servir froide ou chaude.

* Vous pouvez augmenter les quantités d'épices afin de vous rapprocher du goût typique des falafels.

• Pain aux pois chiches 4 PORTIONS

500 ml (2 t.) de pois chiches cuits
1 carotte râpée
1 branche de céleri hachée
1/2 poivron vert en cubes
1 oignon haché fin
2 gousses d'ail émincées
15 ml (1 c. à s.) d'huile

250 ml (1 t.) de chapelure ou de boulghour cuit
2 oeufs battus
15 ml (1 c. à s.) de tamari
2 ml (1/2 c. à thé) de sel
15 ml (1 c. à s.) de basilic

- Sauter les légumes dans l'huile chaude. Mettre les pois chiches en purée à l'aide d'un robot. Dans un bol, mélanger légumes, pois chiches et le reste des ingrédients.

- Mettre dans un moule huilé et cuire au four à 190°C (375°F) pendant 30 minutes.

Servir en tranches avec une sauce tomate simple et une abondante salade de chou chinois, luzerne, avelines.

• Purée de pois verts cassés 4 PORTIONS

250 ml (1 t.) de pois verts cassés
750 ml (3 t.) d'eau ou de bouillon
2 pointes d'ail émincées

5 ml (1 c. à thé) de basilic
2 ml (1/2 c. à thé de sel)

- Recouvrir d'eau et cuire à feu doux environ 45 minutes.

- Cuits, les pois se mettent en purée très facilement. Assaisonner.

- Servir en purée, en ajoutant un peu de lait si désiré.

IDÉES DE RECETTES

Toutes les légumineuses cuites et refroidies font d'excellentes salades. Mélanger avec des légumes crus et arroser d'un filet d'huile, de jus de citron et d'herbes.

Ajouter une céréale cuite comme du riz ou du millet ou manger avec du bon pain et ça donne ainsi un repas complet, appétissant et prêt en quelques minutes.

- **Salade de riz, fèves rouges, petits pois,** poivrons verts.

- **Salade de fèves adukis**, échalotes, poivrons verts, pommes.

- **Salade de lentilles**, oignon et ail sautés, échalotes, tomates.

- **Salade de pois chiches, fèves rouges**, poivrons verts, céleri, olives noires.

- **Salade de lentilles**, ail, cari, pincée de cayenne, gingembre.

- **Salade de millet, fèves noires**, brocoli, verdure.

- **Salade pois chiches**, carottes, céleri, échalotes.

* Toutes ces salades peuvent se transformer en plats chauds. Sauter ou cuire à la vapeur les légumes et réchauffer le tout. Les légumineuses cuites à l'avance aident à la préparation des repas nourrissants et vite faits: les ajouter à la sauce à spaghetti, à la soupe, sur la pizza, dans des pâtés, les mettre en purée pour tartiner ou les utiliser comme ingrédient de base pour un pâté chinois.

Lait de soya   (DONNE 2 LITRES)

250 ml (1 t.) de fèves soya
2 l (8 t.) d'eau

- Trier (fèves brisées, petites roches...), laver et tremper 250 ml (1 t.) de fèves soya dans 3 fois son volume en eau froide pendant 24 heures au réfrigérateur.

250 ml (1 t.) de fèves sèches donnera 625 ml (2 1/2 t.) de fèves après trempage.

- Mesurer 2 l (8 t.) d'eau et la chauffer. On broie les fèves avec cette eau.

- Broyer les fèves trempées (1/3 à la fois) au mélangeur ou au robot culinaire avec au moins 500 ml (2 t.) d'eau très chaude. Bien pulvériser et transvider le mélange dans un grand chaudron.

- Lorsque toutes les fèves sont broyées, ajouter le reste de l'eau (s'il y a lieu) dans le chaudron avec le mélange laiteux.

- Amener lentement le lait contenant encore la pulpe ("okara" en japonais) près du point d'ébullition.
  - Attention car le lait de soya mousse facilement et renverse dès qu'il bout.
  - Il faut cuire le lait de soya et sa pulpe "okara" afin de détruire l'anti-trypsine présente dans la fève et qui nuit à la digestion des protéines.
  - Le lait de soya goûte les noix. Pour ceux-celles qui préfèrent un goût plus doux, il faut séparer la pulpe du lait avant de le cuire.
- Placer une passoire ou un tamis tapissé d'un linge au-dessus d'un chaudron ou d'un grand bol et couler le lait.
- Bien presser afin d'exprimer le maximum de lait. Il restera environ 500 ml (2 tasses) de pulpe de soya, nommée okara.
- Verser le lait chaud dans des pots à conserve et bien fermer les couvercles; il se conserve ainsi plus longtemps: de 4 jours à plus d'une semaine.
  - Le lait de soya de même que l'okara se congèlent très bien.
- Pour du lait de soya fortifié en calcium, ajouter 2 ml (1/2 c. à thé) de carbonate de calcium par 250 ml (1 tasse) de lait.

UTILISATION DU LAIT

Cuit:

- Dans tous les plats habituels (béchamel, quiche, crêpe, crème, etc.) en remplacement du lait, il passera inaperçu.
- Très économique, nutritif, sans cholestérol, etc.
- Revoir la section "Théorie".

Cru:

- Dans les céréales du matin ou comme boisson. Dans ce cas, on peut ajouter 15 ml (1 c. à s.) de miel et 2 ml (1/2 c. à thé) de vanille.
- Fouetter au mélangeur avec des fruits ou de la caroube: délicieux lait fouetté ("milk shake" pour les intimes...)

TRANSFORMATION: LE TOFU

- Lait de soya coagulé, égoutté et pressé en bloc.
- Très haute valeur nutritive. Revoir la section "Théorie" qui traite de ce sujet.

Recettes à base de tofu

1 bloc = 454 g = 16 on.
1 portion = 100 g = 1/4 d'un bloc de 454 g.
Suggestion: 1 portion de tofu par jour, 3 fois par semaine.

● Tofu brouillé aux herbes 4 PORTIONS

1 oignon haché	15 ml (1 c. à s.) de persil
2 gousses d'ail émincées	5 ml (1 c. à thé) de ciboulette
1 branche de céleri hachée	5 ml (1 c. à thé) de basilic
15 ml (1 c. à s.) d'huile d'olive	15 ml (1 c. à s.) de tamari
454 g (16 on.) de tofu	15 ml (1 c. à s.) de levure alimentaire

- Sauter l'oignon, l'ail et le céleri dans l'huile d'olive chaude.
- Écraser le tofu à la fourchette, le rajouter aux légumes et assaisonner.

Servir comme des oeufs brouillés, avec des pommes de terre cuites au four, des légumes verts et des tranches de tomates.

● Tofu "Texture spéciale" 5 PORTIONS

- Prendre 1 bloc de 454 g de **tofu congelé**. Faire dégeler au réfrigérateur pendant une journée.
- Couper en tranches épaisses, déposer entre deux linges, déposer une planche sur le dessus avec un poids, afin de retirer le maximum d'eau.
- Griller les tranches dans une poêle huilée, garnies d'une tranche de tomate, d'herbes au choix et de fromage, ou garnir le tofu comme des petites pizzas et les cuire à 190°C (375°F) pendant 15 minutes.

Servir avec une abondante salade de chou chinois et d'olives noires.

NOTES

- Le tofu congelé prend une couleur jaune qu'il perd en décongelant. Sa texture est granuleuse. Il se sert très bien en tranches ou écrasé à la fourchette.

- On peut aussi le congeler déjà tranché et s'en servir au besoin.

VARIANTES:

- Pour celles-ceux qui doivent faire passer le tofu "incognito", l'écraser est une très bonne astuce. Avec le riz, le millet, la sauce à spaghetti, dans des croquettes.

- Pour les autres, utiliser le tofu écrasé pour farcir des légumes ou avec un peu de mayonnaise, des herbes et une échalote pour tartiner un sandwich.

- Utiliser aussi le tofu écrasé comme ingrédient de base du pâté chinois.

● Tartinade express 4 PORTIONS

225 g (1/2 bloc) de tofu
30 ml (2 c. à s.) de mayonnaise
15 ml (1 c. à s.) de levure
alimentaire

5 ml (1 c. à thé) de tamari
Basilic et poudre d'algues au goût
Paprika si désiré

- Écraser le tofu à la fourchette. Ajouter le reste des ingrédients.

- Tartiner.

Servir dans un sandwich ou pita avec de la luzerne et des carottes râpées. Un repas simple et nutritif!

VARIANTE:

- Ajoutez-y du yogourt et une échalote finement hachée et vous aurez une délicieuse trempette.

● Salade de macaroni au tofu 4 PORTIONS

500 ml (2 t.) de macaroni cuit
1/2 bloc, 225 g (1 t.) de tofu en cubes
1 poivron vert en cubes
1/2 poivron rouge en cubes
1 branche de céleri en morceaux

Un filet d'huile d'olive
Du jus de citron
Quelques gouttes de tamari
2 ml (1/2 c. à thé) de poudre d'algues
5 ml (1 c. à thé) de basilic

- Mélanger et servir en ajoutant 5 ml (1 c. à thé) de levure alimentaire sur chaque portion.

● Sauce à spaghetti au tofu 6 - 8 PORTIONS

3 oignons hachés
5 gousses d'ail émincées
30 ml (2 c. à s.) d'huile de carthame
2 poivrons verts en cubes
250 ml (1 t.) de brocoli coupé
2 branches de céleri tranchées
250 ml (1 t.) de carottes en cubes
2 grosses tomates en cubes
500 ml (16 on.) de tomates en conserve

500 ml (2 t.) de sauce tomate
156 ml (5 1/2 on.) de pâte de tomate
450 g (1 bloc) de tofu en cubes
15 ml (1 c. à s.) de basilic
5 ml (1 c. à thé) d'origan
2 ml (1/2 c. à thé) de thym
1 feuille de laurier
1 ml (1/4 c. à thé) de poivre de cayenne

- Dans un grand chaudron, faire revenir les oignons, l'ail et les herbes dans l'huile chaude pour accentuer les saveurs. Ajouter le reste des légumes et remuer.

- Ajouter le reste des ingrédients.

- Mijoter 30 minutes à feu doux.

Servir sur des pâtes ou une céréale chaude.

VARIANTES:

- Garnir une pâte à pizza ou des tranches de pain avec cette sauce.
- Émietter le tofu au lieu de l'utiliser en cubes.

● Tofu mariné 4 - 6 PORTIONS

125 ml (1/2 t.) de tamari
250 ml (1 t.) d'eau
3 gousses d'ail écrasées
1 morceau de 1 po de gingembre râpé ou 5 ml (1 c. à thé) de gingembre moulu

5 ml (1 c. à thé) de basilic
2 ml (1/2 c. à thé) de thym
1 bloc de 450 g de tofu

- Mélanger tous les ingrédients, sauf le tofu.

- Faire mariner le tofu coupé en petites tranches ou en cubes durant au moins 2 heures. Peut mariner pendant plusieurs jours au frigo.

Servir tel quel **ou** disposer dans un plat huilé allant au four, arroser d'un filet d'huile et faire dorer quelques minutes à 230°C (450°F).

Facile à préparer et délicieux. Accompagne bien les légumes, les pâtes alimentaires ou les céréales.

VARIANTES:

- La sauce à marinade peut être épaissie avec 15 ml (1 c. à s.) de fécule et ajoutée au plat de tofu choisi.
- La sauce se réutilise une deuxième fois.
- On peut également y faire mariner des légumes.

• Sandwich au tofu chaud (hot tofu) 1 PORTION

2 tranches de pain
1/2 oignon haché fin
1 échalote
75 ml (1/3 t.) 3 on. de tofu coupé en minces lanières

15 ml (1 c. à s.) d'huile de carthame
5 ml (1 c. à thé) de tamari
5 ml (1 c. à thé) de levure alimentaire
2 ml (1/2 c. à thé) de poudre d'algues
Beurre de sésame (facultatif)

- Sauter le tofu dans l'huile jusqu'à ce qu'il soit légèrement coloré.
- Ajouter l'oignon, l'échalote et les assaisonnements.
- Griller légèrement le pain dans un grille-pain.
- Tartiner le pain avec un peu de beurre de sésame (facultatif)
- Placer le tofu et les légumes entre les 2 tranches et napper d'une sauce brune.

Servir accompagné de pois verts et d'une salade de chou.

• Salade de tofu et cari-riz 5 PORTIONS

UN DÉLICE!

450 g (16 on.) de tofu écrasé à la fourchette
625 ml (2 1/2 t.) de riz complet long cuit
1 oignon haché fin
125 ml (1/2 t.) de persil frais haché
2 poivrons verts en petites lanières ou en cubes

90 ml (6 c. à s.) d'huile d'olive
60 ml (1/4 t.) de jus de citron
2 gousses d'ail émincées
5 ml (1 c. à thé) de sel marin
5 ml (1 c. à thé) de cari
1 ml (1/4 c. à thé) de poivre de cayenne

- Mélanger les 5 premiers ingrédients.
- Faire la sauce à salade avec le reste des ingrédients et l'ajouter à la salade.
- Pour permettre aux saveurs de bien se mélanger, laisser reposer quelques heures au froid.

Servir dans une grande assiette, sur un lit de laitue et garnir de poivron rouge en lanières et en rondelles.

● **Légumes au tofu** 2 PORTIONS

Un repas délicieux et TRÈS RAPIDE.

1 carotte	225 g (1/2 bloc) 8 on. de tofu
125 ml (1/2 t.) de rutabaga	2 ml (1/2 c. à thé) de basilic
1 oignon	2 ml (1/2 c. à thé) de poudre
30 ml (2 c. à soupe) d'huile de	d'algues
carthame	Levure alimentaire et tamari

- Râper grossièrement carotte et rutabaga et couper l'oignon en lamelles.
- Couper le tofu en gros cubes, tremper dans le tamari et saupoudrer de levure.
- Chauffer l'huile dans une poêle ou un wok, faire sauter les oignons.
- Ajouter les cubes de tofu, cuire quelques minutes.
- Ajouter les légumes râpés, assaisonner et déguster.

Servir avec une bonne salade verte et des tranches de tomates avec sauce à l'ail accompagné de pain à l'ail.

VARIANTE:

- Couper les légumes en allumettes, sauter et terminer la cuisson en ajoutant 30 ml (2 c. à s.) d'eau aux légumes, couvrir et cuire quelques minutes jusqu'à tendreté.

● **Doigts de tofu rôti**

450 g (16 on.) de tofu	30 ml (2 c. à s.) de levure
coupé en grosses lanières	alimentaire
30 ml (2 c. à s.) d'huile	1 ml (1/4 c. à thé) de poudre d'oignon
60 ml (1/4 t.) de tamari	1 ml (1/4 c. à thé) de poudre d'ail

Chauffer l'huile dans un wok et sauter le tofu jusqu'à ce

qu'il soit légèrement grillé. Attention: si le tofu contient beaucoup d'eau, placer d'abord les tranches entre deux linges et presser avec un poids; découper ensuite en grosses lanières et faire revenir.

- Mélanger les lanières de tofu avec le reste des ingrédients et faire sauter à nouveau.

Servir tel quel avec des légumes cuits à l'étouffée, ou servir sur des pâtes ou du millet.

VARIANTES:

- couper le tofu en tranches, procéder comme dans la recette et servir en sandwiches;
- après avoir enrobé les lanières de sauce, les paner avec de la chapelure (pain au mélangeur) et les cuire au four.

● Chow mein au tofu 6 PORTIONS

750 ml (3 t.) de céleri en lanières
500 ml (2 t.) de chou chinois coupé en biseau
1 gros oignon en lamelles
250 ml (1 t.) de tofu en cubes

250 ml (1 t.) de champignons tranchés
500 ml (2 t.) de fèves mung germées
60 ml (1/4 t.) de persil

- Chauffer un wok, ajouter 30 ml (2 c. à s.) d'huile.
- Chauffer l'huile, y sauter les légumes en remuant.

Préparer une sauce avec:

125 ml (1/2 t.) d'eau
15 ml (1 c. à s.) de fécule de Marante

15 ml (1 c. à s.) de tamari

- Verser la sauce sur les légumes sautés et brasser jusqu'à épaississement.
- Ajouter les germes et le persil.

Servir avec du riz.

*Avec les restes, faites une délicieuse soupe pour le lendemain!

IDÉES DE RECETTES

Le tofu a un goût neutre et prend la saveur des ingrédients avec lesquels vous l'apprêtez.

- Tremper dans du tamari, saupoudrer de levure alimentaire, griller ou manger cru tel quel.

- Paner avec des granolas ou de la chapelure de pain de blé entier.

- Émietter et intégrer à du beurre d'arachide jusqu'à l'obtention d'un mélange onctueux. Tartiner. Délicieux et plus nutritif.

- **Brochette de tofu:** utiliser des gros cubes de tofu mariné avec des légumes, cuire au four sur des brochettes et servir sur du riz.

- **Vol-au-vent au tofu:** utiliser le tofu en petits cubes pour remplacer le poulet.

- **Chop-suey au tofu:** utiliser le tofu en lanières pour remplacer la viande.

- **Pâté chinois au tofu:** utiliser le tofu émietté avec des légumes cuits. Bien assaisonner. Servir avec du maïs et une purée de pommes de terre.

- **Tourtière au tofu:** utiliser le tofu émietté avec des légumes et une céréale cuite (riz au millet), assaisonner comme une tourtière et cuire entre 2 abaisses.

OKARA

Pulpe de soya résultant de la fabrication du lait de soya. S'utilise surtout en complément d'une recette. Se congèle très bien. Revoir la section "Théorie" qui traite de ce sujet.

● **Croquettes à l'okara** 8 CROQUETTES

500 ml (2 t.) d'okara	15 ml (1 c. à s.) de tamari
1 oignon haché fin	2 ml (1/2 c. à thé) de sel marin
2 gousses d'ail émincées	5 ml (1 c. à thé) de basilic
1 carotte râpée	2 ml (1/2 c. à thé) de thym
45 ml (3 c. à s.) de farine de blé	1 oeuf battu

- Mélanger tous les ingrédients.

- Former des croquettes à la cuillère et cuire dans une poêle huilée. Dorer de chaque côté ou cuire au four à 180°C (350°F) 25 minutes.

Servir avec une purée de légumes et une salade de betteraves.

VARIANTES:

- Remplacer l'okara par des fèves soya ou autres, cuites et écrasées, 500 ml (2 t.)
- Verser ce mélange dans un plat allant au four, recouvrir de tranches de tomates et gratiner.

● Pâté à l'okara 4 PORTIONS

45 ml (3 c. à s.) d'huile de carthame
45 ml (3 c. à s.) de farine de blé
375 ml (1 1/2 t.) de lait de soya ou autre
250 ml (1 t.) de champignons tranchés

2 oignons hachés fin
375 ml (1 1/2 t.) d'okara
125 ml (1/2 t.) de fromage râpé
45 ml (3 c. à s.) de tamari
60 ml (1/4 t.) de chapelure
30 ml (2 c. à s.) de parmesan

- Faire une béchamel avec les 3 premiers ingrédients.

- Sauter les oignons et les champignons quelques minutes.

- Retirer du feu; incorporer la béchamel, l'okara, le fromage et le tamari.

- Verser dans un moule à pain huilé; saupoudrer de chapelure et de parmesan.

- Cuire au four à 180°C (350°F), 30 minutes.

Servir avec des tomates et beaucoup de vert.

● Saucisson à l'okara de Nicole 4 - 6 PORTIONS

250 ml (1 t.) d'okara (pulpe du soya)
125 ml (1/2 t.) de farine de blé
60 ml (1/4 t.) de flocons d'avoine
30 ml (2 c. à s.) de levure alimentaire
60 ml (1/4 t.) d'huile de carthame
60 ml (1/4 t.) de lait de soya (la quantité peut varier selon l'humidité de la pulpe après le pressage)
15 ml (1 c. à s.) de tamari
2 ml (1/2 c. à thé) d'origan

2 ml (1/2 c. à thé) de sel marin
2 ml (1/2 c. à thé) de piment jamaïque
7 ml (1 1/2 c. à thé) de poudre d'ail
5 ml (1 c. à thé) de moutarde en poudre
2 ml (1/2 c. à thé) de basilic
1 ml (1/4 c. à thé) de paprika
Une pincée de poivre de cayenne ou au goût

- Bien mélanger tous les ingrédients, la consistance sera épaisse.
- Pétrir avec les mains afin de développer le gluten, ce qui permettra d'obtenir un saucisson qui se tranche bien.
- Cuire à la vapeur dans une boîte de conserve huilée de 3 pouces de diamètre couverte d'un papier d'aluminium, pendant 1 1/2 heure.
- Démouler lorsqu'encore chaud.

Servir tranché en hamburger, rôti à la poêle, grillé au four ou tartiné.

VARIANTE: **Saucisson de soya aux carottes**

Ajouter aux 7 premiers ingrédients de la recette ci-dessus:

60 ml (1/4 t.) de carottes râpées
1/2 oignon haché finement
7 ml (1 1/2 c. à thé) de paprika
5 ml (1 c. à thé) de poudre de chili
5 ml (1 c. à thé) de poudre d'ail
2 ml (1/2 c. à thé) d'origan

2 ml (1/2 c. à thé) de sel marin
2 ml (1/2 c. à thé) de coriandre moulue
1 ml (1/4 c. à thé) de basilic
Poivre de cayenne au goût

- Même méthode de préparation et de cuisson.

CHAPITRE III

Les salades

Les sauces à salades

Les germes

Les boissons

Les salades sont riches en fibres et favorisent une bonne digestion. Elles sont indispensables et doivent être servies midi et soir. Plats par excellence pour stimuler notre créativité, les salades se servent au début du repas, à la place des crudités, ou se transforment en plat principal. Il suffit alors de rajouter aux légumes choisis:
- des pâtes
- des légumineuses
- des céréales
- des noix et des graines
- des oeufs ou des produits laitiers.

Les herbes fraîches en saison, comme le basilic, le persil et la menthe, rehaussent magnifiquement les salades de légumes ainsi que les sauces à salade. En hiver, utiliser les herbes congelées ou séchées ou, mieux encore, celles que vous cultivez à l'intérieur.

Salade d'épinard

1 l (4 t.) d'épinard
1 poivron vert en lanières
2 échalotes hachées
3 carottes râpées

125 ml (1/2 t.) de persil haché fin
125 ml (1/2 t.) de graines de
tournesol
125 ml (1/2 t.) de fromage râpé
Gomashio

- Déchirer les épinards avec les doigts et ajouter les autres ingrédients.
- Arroser d'une sauce à salade à l'ail et saupoudrer de gomashio.

Salade fraîche d'été

2 grosses tomates en cubes
250 ml (1 t.) de fromage cottage
125 ml (1/2 t.) de noix de grenoble hachées

125 ml (1/2 t.) de persil frais haché
15 ml (1 c. à s.) de jus de citron
5 ml (1 c. à thé) d'origan
Feuilles de laitue

- Mélanger délicatement et disposer sur les feuilles de laitue.
- Arroser d'un filet d'huile d'olive si désiré.

Salade rouge, verte et jaune

2 épis de maïs crus ou cuits
2 tomates en cubes

1 poivron vert en cubes
Feuilles de laitue

- Enlever les grains de maïs de l'épi, ajouter les tomates et le poivron.
- Servir sur des feuilles de laitue et arroser d'une sauce à l'ail.

Concombres au yogourt 2 PORTIONS

1 concombre anglais tranché
en fines rondelles
125 ml (1/2 t.) de yogourt
2 échalotes finement
hachées

1 ml (1/4 c. à thé) de sel marin
1 ml (1/4 c. à thé) d'aneth
Quelques feuilles de menthe
hachées
Du paprika

- Dans un bol moyen, mélanger yogourt, échalotes, sel, aneth et menthe.

- Ajouter les rondelles de concombre et mélanger.
- Parsemer de paprika. Couvrir et réfrigérer.

Servir avec du riz, du millet ou du boulghour.

● Salade grecque 2 PORTIONS

1 concombre en morceaux	125 ml (1/2 t.) de fromage feta
1 tomate en cubes	8 olives noires
1 oignon en rondelles	2 ml (1/2 c. à thé) de basilic

- Mélanger délicatement et arroser d'un filet d'huile d'olive et de jus de citron.

VARIANTES:

- Râper le fromage feta et le disposer sur le dessus.
- Remplacer le feta par du tofu.
- Ajouter de la luzerne autour et des tranches de champignons disposées en cercle.
- Remplacer le concombre par un avocat et servir sur de la romaine.

● Salade de chou rouge 6 PORTIONS

750 ml (3 t.) de chou rouge râpé	2 ml (1/2 c. à thé) de basilic
5 ml (1 c. à thé) de graines de carvi	2 ml (1/2 c. à thé) de sel marin
30 ml (2 c. à s.) d'huile de tournesol	125 ml (1/2 t.) de jus d'ananas
Le jus d'un demi citron	ou d'ananas broyés

- Bien mélanger tous les ingrédients et laisser reposer un peu avant de servir. Tout à fait savoureux.

● Salade d'abondance

1 laitue Boston	1 poivron rouge en cubes
1 petit chou-fleur râpé finement	30 ml (2 c. à s.) de persil frais

- Laver et essorer la laitue. La déposer autour d'un beau saladier.
- Ajouter le chou-fleur râpé et le poivron en cubes au centre.
- Garnir de persil et servir avec une sauce à salade vert tendre.

• Salade de couleurs

2 betteraves moyennes   2 carottes
1 petit navet   Luzerne

- Laver et brosser les légumes.

- Râper finement tous les légumes.

- Disposer en rangées dans un bol en verre ou réserver une portion de chaque couleur pour décorer le dessus de votre bol si celui-ci est opaque.

- Garnir de luzerne et servir avec une mayonnaise maison et du gomashio.

• Zucchinis et aramé

Les algues, ces légumes de mer, sont faciles à préparer et riches en minéraux.

3 zucchinis râpés grossièrement   60 ml (1/4 t.) d'aramé
1/2 poivron rouge en cubes, 1/2
en lanières

- Laver et tremper les algues aramé pendant 15 minutes.

- Mélanger aux autres ingrédients, décorer avec les lanières de poivron rouge disposées en étoile.

Servir avec une sauce à la levure alimentaire.

Plusieurs variétés d'algues font d'excellentes salades. Simplement laver, tremper et servir. Tremper la dulse 5 minutes, l'aramé 15 minutes et l'hiziki 20 minutes. Délicieux comme légume d'accompagnement.

• Salade d'avocat

1 avocat   1 tomate
1 échalote   5 ml (1 c. à thé) de jus de citron
1 branche de céleri   Sauce à l'ail

- Couper tous les ingrédients, ajouter le jus de citron et la sauce au goût.

- Placer au centre d'un bol à salade et entourer de luzerne.

VARIANTE:

- Couper l'avocat en 2 moitiés et le farcir avec les autres légumes émincés.

● Salade de topinambour

500 ml (2 t.) de topinambour râpé
1 branche de céleri émincée
1 échalote émincée

5 ml (1 c. à thé) de graines de céleri
5 ml (1 c. à thé) de poudre d'algues

- Mélanger les légumes et les assaisonnements. Ajouter de la mayonnaise et du gomashio. Garnir avec du persil frais.

● Salade de pommes et betteraves

375 ml (1 1/2 t.) de betteraves cuites, en cubes
250 ml (1 t.) de pommes en cubes, arrosées de jus de citron
75 ml (1/3 t.) de persil haché fin

Sauce:

60 ml (1/4 t.) d'huile de carthame
1 gousse d'ail écrasée (facultatif)
5 ml (1 c. à thé) de jus de citron

5 ml (1 c. à thé) de miel
5 ml (1 c. à thé) de tamari
2 ml (1/2 c. à thé) de basilic

- Préparer la sauce; puis les betteraves, pommes, persil.
- Mélanger tous les ingrédients dans un saladier.
- Laisser reposer un peu avant de servir. Décorer avec des feuilles d'endives tout autour du bol.

VARIANTES:

- Couper les pommes et les betteraves en tranches.
- Remplacer betteraves et pommes par des cubes de pommes de terre cuites et des rondelles de poireaux cuits; servir avec la même sauce en omettant toutefois le miel.

IDÉES À METTRE EN SALADE

- Haricots verts à la vapeur, champignons, persil émincé avec huile d'olive et jus de citron.
- Chou vert en lanières, poivron, oignon, pomme avec mayonnaise.
- Pommes de terre cuites, rutabaga, ciboulette, persil avec mayonnaise.
- Laitue, tomates, champignons avec sauce verte au persil.
- Épinards, oeufs durs, croûtons avec mayonnaise jaune.

- Endives, pommes, noix de Grenoble avec sauce à la levure alimentaire.

- Carottes râpées, pommes, fromage, ''cottage'', ciboulette.

- Chou chinois, olives noires, persil avec sauce à l'ail.

- Beaucoup de persil haché très fin, tomates en cubes avec sauce à l'ail.

- Pommes de terre, échalotes, poivron rouge et vert avec mayonnaise.

- Avocat, épinards, échalotes, tomate avec sauce à l'ail.

- Poireaux crus hachés en fines lanières, olives noires sur de la laitue Boston, avec sauce au yogourt.

- Oignons et champignons marinés dans la sauce du tofu mariné.

- Radis, laitue, cresson.

- Fromage ''cottage'', pomme, noix.

- Carottes râpées, pomme, céleri, raisins, graines de tournesol, menthe avec jus de citron et mayonnaise.

- Navet, courge orangé (butternut, citrouille), betterave, râpés finement et disposés en arc-en-ciel sur un lit de persil et d'épinards.

- **En saison, les fleurs dans la salade ajoutent beauté et couleur: capucine, jargeau, rose, trèfle, etc.**

  Carottes et céleri-rave râpés, algues hiziki trempées, sur de la laitue romaine.

  Verdure (laitue et cresson), avocat, tranches de concombres, petites tomates, croûtons et parmesan avec sauce à l'ail.

LES GERMES QUE J'AIME

À manger crus, en abondance!

● Salade réjouissante

500 ml (2 t.) de carottes râpées   125 ml (1/2 t.) de blé germé
1 pomme en morceaux   125 ml (1/2 t.) de raisins secs

- Bien mélanger et servir avec une mayonnaise ou une sauce au yogourt.

● Salade à Julie jolie

500 ml (2 t.) de fèves germées   1 poivron vert en courtes lanières
1/2 paquet d'épinard   2 échalotes
250 ml (1 t.) de champignons   500 ml (2 t.) de riz cuit
250 ml (1 t.) de céleri en dés   250 ml (1 t.) de graines de tournesol

- Mélanger le tout et servir avec une sauce à l'ail.

Idées de salades

- Luzerne, carottes râpées finement, persil haché fin.
- Fèves mung germées, lentilles germées, algues aramé, échalotes.
- Germes préférés, laitue ou chou.
- Fèves mung germées, macaroni, poivron vert, épinards.
- Blé germé et betteraves râpées finement, garnir avec du persil.
- Luzerne et radis germés, avocat en morceaux, tomates, feta.
- Luzerne, tournesol germé, tomates, laitue.
- Luzerne, grains de maïs, carottes râpées.
- Germes de blé et de fenugrec, citrouille râpée.

Les germes **se mangent crus** en salades, dans les sandwiches, passés au mélangeur dans des jus, ajoutés aux plats de céréales. Ils se mangent également chauds mais pas véritablement cuits dans des plats tels que le chop suey et le chow mein.

Pour apprendre pourquoi et comment "faire germer", consulter le chapitre qui traite de la germination dans la section "Théorie".

● Chop suey aux légumes

2 oignons hachés
3 carottes en allumettes
2 branches de céleri en morceaux
15 ml (1 c. à s.) d'huile de carthame

1 pomme en morceaux
1 l (4 t.) de fèves mung
ou autres germées
Basilic et tamari au goût

- Chauffer un wok, ajouter l'huile. Lorsque l'huile est chaude, y faire revenir les oignons puis le céleri et les carottes. Sauter quelques minutes en remuant.

- Si les légumes sont encore trop croquants, ajouter un peu d'eau, couvrir, cuire 5 minutes.

- Lorsque les légumes sont juste à point, ajouter les pommes et les germes, bien mélanger et assaisonner. Garder les germes croquants.

Servir chaud avec du pain et du fromage.

VARIANTE:

- incorporer des cubes de tofu en même temps que les légumes.

● Jus à la luzerne

250 ml (1 t.) de jus d'orange
d'ananas ou de tomate

125 ml (1/2 t.) de luzerne
15 ml (1 c. à s.) de persil

- Passer au mélangeur. Délicieux!

LES SAUCES À SALADE

LA MAYONNAISE

Faire sa mayonnaise, c'est économique, rapide et simple comme bonjour. Essayez et vous verrez!

● Au mélangeur ou au robot:

1 oeuf entier
Le jus d'un demi citron, 30 ml (2 c. à s.)
1 échalote
60 ml (1/4 t.) de persil frais

2 ml (1/2 c. à thé) de moutarde de Dijon ou de moutarde sèche (facultatif)
250 ml (1 t.) d'huile de carthame
Une pincée de sel marin
Un peu de paprika si désiré

- Tous les Ingrédients doivent être à la température de la pièce.

- Casser l'oeuf dans un mélangeur ou au robot; ajouter tous les ingrédients, sauf l'huile.

- Mélanger à la vitesse la plus lente, en versant l'huile en filet. Donne 250 ml (1 t.) de mayonnaise.

Cette recette se double facilement. Se conserve une semaine dans un pot au réfrigérateur.

• À la main:

2 jaunes d'oeufs	Le jus d'un demi-citron, 30 ml (2 c. à s.)
2 ml (1/2 c. à thé) de moutarde de Dijon	250 ml (1 t.) d'huile de carthame ou de tournesol
Une pincée de sel marin	

- Tous les ingrédients doivent être à la température de la pièce.

- Dans un bol de forme conique, mettre les jaunes d'oeufs, la moutarde et le sel. Bien mélanger avec un fouet.

- Ajouter la moitié de l'huile goutte à goutte en fouettant.

- Ajouter le jus de citron et continuer à verser le restant de l'huile en fouettant constamment.

Donne une mayonnaise épaisse, prête en 10 minutes, qui se conserve très bien au réfrigérateur.

Servir sur du pain, dans les salades, en trempette, etc.

VARIANTES:

- Mayonnaise blanche: omettre l'échalote et le persil.

- Mayonnaise jaune: ajouter 5 ml (1 c. à thé) de cari et une pincée de cayenne.

- Mayonnaise rouge: ajouter 15 ml (1 c. à s.) de pâte de tomate.

● Sauce à salade à l'ail

Cette sauce sert de base pour une multitude de possibili-tés!

2 gousses d'ail (ou plus pour les amateurs-trices)
1 ml (1/4 c. à thé) de sel
30 ml (2 c. à s.) de jus de citron

200 ml (3/4 t.) d'huile d'olive ou autre
2 ml (1/2 c. à thé) d'estragon
2 ml (1/2 c. à thé) de basilic
5 ml (1 c. à thé) de persil

• Presser l'ail et ajouter les autres ingrédients; fouetter **ou** passer tous les ingrédients au mélangeur. La texture sera différente. Laisser reposer un peu avant de servir.

VARIANTES:

- **sauce unique:** ajouter 60 ml (1/4 t.) de basilic frais

- **sauce à la levure alimentaire:** ajouter 30 ml (2 c. à s.) de levure alimentaire et 15 ml (1 c. à s.) de tamari;

- **sauce piquante:** ajouter 15 ml (1 c. à s.) de moutarde forte.

Au mélangeur, on peut composer de superbes sauces à salades. Suivant l'inspiration, ajouter au choix feta, concom-bre, tomate, radis, persil, etc.

● Sauce à salade au yogourt

250 ml (1 t.) de yogourt nature
1 gousse d'ail écrasée
15 ml (1 c. à s.) de tamari

5 ml (1 c. à thé) d'estragon
5 ml (1 c. à thé) de basilic
15 ml (1 c. à s.) d'huile d'olive

• Bien mélanger.

VARIANTES:

- Ajouter échalote, persil, aneth pour la saveur et la couleur.

- Ajouter un cube de betterave ou de la poudre de bette-rave pour une superbe sauce rose.

- Ajouter des morceaux de poivron rouge.

- 250 ml (1 t.) de yogourt, 1 concombre émincé, 45 ml (3 c. à s.) de menthe fraîche.

Préparées au mélangeur, les sauces au yogourt deviennent liquides; elles épaississent lorsqu'on les laisse reposer au froid.

● Sauce verte au persil

1 oeuf	2 ml (1/2 c. à thé) de sel
10 ml (2 c. à thé) de jus de citron	60 ml (1/4 t.) d'huile de carthame
5 ml (1 c. à thé) de miel	60 ml (1/4 t.) d'eau
1 gousse d'ail	125 ml (1/2 t.) de crème sûre
250 ml (1 t.) de persil haché	
1 pincée d'estragon	

- Mettre les 7 premiers ingrédients au mélangeur.
- Ajouter l'huile en filet, à basse vitesse.
- Ajouter l'eau et la crème sûre. Mélanger.
- Ajouter un peu d'eau, si trop épais.
- Rectifier l'assaisonnement s'il y a lieu.

● Sauce à salade au tahini*

30 ml (2 c. à s.) de tamari	200 ml (3/4 t.) d'eau froide
200 ml (3/4 t.) d'huile de tournesol	60 ml (1/4 t.) de jus de citron
125 ml (1/2 t.) de tahini (beurre de sésame)	

- Fouetter au mélangeur le tamari, l'huile et le tahini.
- Ajouter l'eau froide et le jus de citron.

   * Recette du restaurant végétarien ''Le Commensal'', rue St-Denis, Montréal.

VARIANTE:

- Vous pouvez chauffer la sauce et la servir sur croquettes, pâtés, falafels, etc.

● Sauce au nectar d'abricot

1 oeuf	2 ml (1/2 c. à thé) de sel marin
1 gousse d'ail	2 ml (1/2 c. à thé) de basilic
1 citron (4 c. à s.)	500 ml (2 t.) de nectar d'abricot

- Fouetter les 5 premiers ingrédients au mélangeur et ajouter lentement le nectar comme pour une mayonnaise.

IDÉES DE BOISSONS IRRÉSISTIBLES

- **Pina Colada:** 1 litre de jus d'orange, 1 litre de jus d'ananas, 250 ml (1 tasse) de yogourt, quelques gouttes d'essence de noix de coco. Au mélangeur. Servir dans des coupes. Décorer d'une feuille de menthe ou d'une fraise.

- **Eau au gingembre:** 1 litre (4 t.) d'eau, 7 cm (3 po) de gingembre râpé, 1 citron en tranches, 15 ml (1 c. à s.) de miel. Mélanger et laisser reposer 1 nuit au réfrigérateur.

- **Punch mauve pétillant:** 1 partie de jus d'orange, 1 partie de jus de pomme, 1 partie de jus de raisin, 2 parties d'eau minérale gazéifiée, dans un grand bol, avec des fruits et des glaces.

- **Punch aux fruits:** 2 parties de jus d'orange, 1 partie de jus de raisin blanc, 1 partie de jus de pomme, des raisins noirs et des verts coupés en deux, des feuilles de menthe.

- **Jus très vert:** 250 ml (1 t.) de jus d'orange, 15 ml (1 c. à s.) de yogourt, 5 ml (1 c. à thé) de spiruline en poudre.

- **Jus de tomate frais:** tomates mûres au mélangeur, une pincée de sel, un soupçon de citron. Couler pour enlever les graines, si désiré.

- **Jus de légumes:** légume au choix, à l'extracteur à jus. La betterave donne une couleur superbe.

- **Lait riche:** 250 ml (1 t.) de lait de soya, un jaune d'oeuf, 5 ml (1 c. à thé) de levure alimentaire, 5 ml (1 c. à thé) de mélasse. Au mélangeur.

- **Lait fouetté aux fruits:** lait de soya + fraises congelées et/ou banane congelée avec un peu de miel ou quelques dattes. Au mélangeur.

- **Lait fouetté au caroube:** 1 verre de lait, 5 ml (1 c. à thé) de caroube. Au mélangeur, ajouter si désiré 1 banane et 5 ml (1 c. à thé) de miel.

- **Lait-yo-fraises:** 250 ml (1 t.) de fraises, bleuets ou framboises, 250 ml (1 t.) de yogourt, 250 ml (1 t.) de lait, 15 ml (1 c. à s.) de miel. Au mélangeur. Le préféré des enfants. Ajouter 1/2 banane pour un lait plus onctueux.

- **Lait aux amandes:** 250 ml (1 t.) d'amandes, de préférence trempées, 3 t. d'eau. Au mélangeur. Couler si désiré.

Utiliser la pulpe dans la salade de fruits.

. **Extras à ajouter au lait, si désiré:** 1 ou 2 au choix: beurre de noix, levure alimentaire, poudre de lait, germe de blé, jaune d'oeuf, etc.

QUELQUES IDÉES POUR REMPLACER LES FRIANDISES DU DÉPANNEUR, PENDANT L'ÉTÉ:

POPSICLE:

- - jus
- - purée de fruit et yogourt
- - gelée de fruit et yogourt
- - jus congelé et yogourt

SLUSH: **cubes de glace et jus, moitié-moitié au robot.**

BOISSON GAZEUSE MAISON: **jus et eau minérale gazéifiée.**

CRÈME GLACÉE: **voir la recette de crème glacée expresso.**

CHAPITRE IV

Les légumes et courges

Les légumes cuits juste à point, de manière à ce qu'ils restent croquants, servent d'accompagnement et font partie de la majorité de nos repas.

Revoir la section ''Théorie'' traitant des légumes et des méthodes de cuisson.

Afin de stimuler l'appétit, il est bon de varier les méthodes de cuisson et la manière de couper les légumes.

● **Légumes à l'étouffée** (cuisson sans eau) 4 - 6 PORTIONS

2 oignons en lanières	1 pomme de terre en morceaux
2 carottes en bâtonnets	1 panais coupé en biseau
1/2 navet en lanières	1 poireau coupé en rondelles

- Chauffer un chaudron à fond épais et dont le couvercle ferme bien (en fonte ou fonte émaillée), y placer 2 c. à s. d'eau (pour amorcer le processus); lorsque l'eau dégage de la vapeur, y déposer les oignons d'abord, puis les autres légumes.

- Assaisonner de sel, basilic, un peu de thym.

- Couvrir et cuire à feu doux jusqu'à ce que les légumes

soient tendres. De 10 à 30 minutes selon la grosseur et la nature du légume.

● Légumes chinois 4 - 6 PORTIONS

2 oignons en lanières
2 gousses d'ail émincées
1 morceau de gingembre frais
de 1 pouce de long, haché fin
1 poivron vert en lanières larges
2 carottes en allumettes
250 ml (1 t.) de pois mange-tout
ou de brocoli

30 ml (2 c. à s.) d'huile de carthame
125 ml (1/2 t.) d'eau
45 ml (3 c. à s.) de tamari
30 ml (2 c. à s.) de jus de citron
7 ml (1 c. à thé) de fécule de marante
Amandes effilées

- Dans un wok, dorer les oignons dans l'huile, ajouter l'ail et le gingembre.
- Placer les oignons sur les côtés et sauter les autres légumes, 1 à la fois en commençant par le plus coriace: brocoli, carotte, poivron, pois.
- Mélanger eau, tamari, jus de citron et fécule. Ajouter aux légumes.
- Cuire en remuant jusqu'à épaississement. Les légumes deviennent brillants.
- Garnir avec les amandes. Servir sur du riz ou en accompagnement.

● Brocoli à la vapeur

QUOI DE PLUS SIMPLE ET DE PLUS VERT!

1 brocoli: bouquet et tige
Jus de citron

Huile d'olive ou de carthame
Persil frais haché fin

- Laver le brocoli sous le jet d'eau en écartant bien chaque tige.
- Couper la tige en tranches de 1/4 de pouce. Laisser les petites tiges et les bouquets entiers.
- Lorsque l'eau bout, placer le brocoli dans la marguerite et cuire quelques minutes à la vapeur. Les brocolis doivent rester croquants et TRÈS VERTS.

- Arroser de jus de citron, d'huile et parsemer de persil.

En raison de sa valeur nutritive, le brocoli devrait être inclus au menu régulièrement.

250 ml (1 t.) de brocoli à la vapeur contient:
- 5 grammes de protéine
- 132 mg de calcium
- 140 mg de vitamine C

● Gratin d'épinard

Rapide et savoureux!

Épinards ou bettes à carde	Jus de citron
Tamari	Cheddar fort

- Cuire les épinards 1 minute à la vapeur.
- Les mettre dans un plat allant au four, arroser de quelques gouttes de tamari et d'un filet de jus de citron, recouvrir de cheddar râpé.
- Recommencer l'opération et finir par le fromage.
- Saupoudrer de paprika et cuire au four 10 minutes à 200°C (400°F).

● Pommes de terre et oignons au four 4 - 6 PORTIONS

3 pommes de terre en tranches	5 ml (1 c. à thé) de tamari
3 oignons en tranches	30 ml (2 c. à s.) de persil haché
Huile d'olive	5 ml (1 c. à thé) de ciboulette

- Sur des feuilles d'aluminium, superposer les légumes en alternant.
- Arroser d'un filet d'huile, de quelques gouttes de tamari et assaisonner.
- Envelopper les légumes et cuire au four à 180°C (350°F), 30 minutes.

Servir en accompagnement. Gratiner si désiré à la fin de la cuisson.

VARIANTE:
- Ajouter des rondelles de poivron ou de courgette.

• Champignons ail ail ail 4 PORTIONS

500 ml (2 t.) de champignons
tranchés épais
45 ml (3 c. à s.) de jus de citron
15 ml (1 c. à s.) d'huile de carthame
1 oignon émincé

3 gousses d'ail émincées
125 ml (1/2 t.) de persil haché
2 ml (1/2 c. à thé) de tamari
2 ml (1/2 c. à thé) de basilic

. Arroser les tranches de champignons de jus de citron et mettre de côté.

. Sauter l'oignon et l'ail dans l'huile chaude.

. Ajouter les champignons, cuire 5 minutes à feu doux.

. Ajouter le persil et les assaisonnements, mélanger.

Servir chaud en accompagnement ou sur du sarrasin ou des pâtes.

• Ratatouille 4 PORTIONS

3 oignons en fines lanières
2 gousses d'ail émincées
1 aubergine moyenne en cubes
2 poivrons verts en lanières
3 zucchinis en rondelles

4 tomates en morceaux
15 ml (1 c. à s.) de tamari
5 ml (1 c. à thé) d'estragon
2 ml (1/2 c. à thé) de poudre
d'algues à la cayenne

. Faire revenir l'oignon et l'ail dans un peu d'huile, dans un chaudron à fond épais et au couvercle lourd.

. Ajouter les autres légumes, assaisonner, couvrir et cuire à feu doux, environ 20 minutes. Les légumes cuisent dans leur propre vapeur, à l'étouffée.

Servir avec une céréale et/ou une légumineuse.

VARIANTE:

- Gratiner **ou** ajouter des cubes de tofu pour en faire un plat principal.

• Crêpes aux pommes de terre 4 PORTIONS

3 pommes de terre moyenne lavées
1 petit oignon haché fin
2 ml (1/2 c. à thé) de poudre
d'algues
2 ml (1/2 c. à thé) de basilic

75 ml (1/3 t.) de farine de blé
30 ml (2 c. à s.) de levure alimentaire
2 oeufs légèrement battus
1 ml (1/4 c. à thé) de muscade

- Râper les pommes de terre.

- Ajouter les autres ingrédients.

- Cuire dans une poêle huilée et frire des 2 côtés ou cuire au four à 190°C (375°F) pendant 20 minutes.

Délicieux repas, vite préparé. Servir avec du brocoli et des carottes en bâtonnets cuits à la vapeur.

● Maïs en épi

- Cuire le maïs dans sa pelure au four sur la grille du milieu à 180°C (350°F) pendant 20 minutes. Enlever la pelure et déguster.

- Ou le cuire avec sa pelure à la vapeur. Afin de conserver le maximum de valeur nutritive, on évite la cuisson dans l'eau.

  * En saison, essayer le maïs cru sur l'épi, ou détaché de celui-ci. À ajouter dans les salades.

** Les épis de maïs peuvent se congeler crus, avec leur pelure dans un sac de plastique.

Cuit au four avec la pelure, le maïs garde un goût succulent. Le déposer congelé, sur la grille du four et cuire 30 minutes.

● Frites au four

...Pour ceux et celles qui ne peuvent y résister!

- Couper des pommes de terre en forme de frites.

- Enrobez-les d'huile: utiliser 15 ml (1 c. à s.) d'huile par plaque et y retourner les pommes de terre.

- Étendre sur une plaque à biscuits et les cuire au four à 180°C (350°F) en les retournant de temps à autre, jusqu'à ce qu'elles soient bien dorées.

● **Bettes à carde au four** 4 - 6 PORTIONS

1,5 l (6 t.) de bettes à carde   90 ml (6 c. à s.) d'huile de carthame
2 gros oignons en lamelles   90 ml (6 c. à s.) de farine de blé
2 gousses d'ail   750 ml (3 t.) de lait de soya
15 ml (1 c. à s.) d'huile de carthame 10 ml (2 c. à thé) de basilic
3 tranches de pain en croûtons   5 ml (1 c. à thé) de tamari
250 ml (1 t.) de fromage râpé

.   Laver les bettes et les couper.

.   Sauter les oignons et l'ail dans l'huile chaude.

.   Cuire les bettes à carde quelques minutes à la vapeur pour
     les faire diminuer.

.   Mélanger les oignons et les bettes.

.   Étendre dans le fond d'un grand plat allant au four, couvrir
     des croûtons.

.   Faire une sauce avec l'huile, la farine et le lait. Assaison-
     ner.

.   Verser sur les croûtons. Saupoudrer de fromage.

.   Cuire au four à 180°C (350°F), 20 minutes.

VARIANTE:

-    Utiliser toute autre verdure comme des feuilles de bettera-
     ves, des feuilles de navet (riches en calcium), des
     épinards, etc.

● **Tarte aux légumes** 4 - 6 PORTIONS

1 ou 2 abaisses   500 ml (2 t.) de sauce béchamel
750 ml (3 t.) de légumes variés   Ciboulette, thym, sel marin

.   Couper les légumes en petits cubes ou en tranches minces.

.   Placer les légumes dans une pâte de blé entier. Ajouter la
     béchamel. Assaisonner au goût.

.   Recouvrir d'une autre abaisse **ou** de fromage râpé.

.   Cuire au four à 180°C (350°F) pendant 30 minutes.

VARIANTE:

-    Découper la pâte en cercle ou en triangle, garnir et
     replier... pour le changement!

● Tarte à l'oignon 4 PORTIONS

1 fond de tarte de 23 cm (9 pouces)	200 ml (3/4 t.) de gruyère râpé
625 ml (2 1/2 t.) d'oignons en lamelles	2 oeufs battus
1 ml (1/4 c. à thé) de thym	250 ml (1 t.) de lait de soya
15 ml (1 c. à s.) d'huile de carthame	10 ml (2 c. à thé) de tamari
30 ml (2 c. à s.) de farine de blé	2 ml (1/2 c. à thé) de poudre d'algues
	Une pincée de muscade

- Chauffer le four à 230°C (450°F).
- Faire revenir les oignons et le thym dans l'huile à feu doux, 10 minutes.
- Saupoudrer le fond de tarte de farine puis ajouter la moitié des oignons et du fromage.
- Bien mélanger le reste des ingrédients. Verser sur la tarte.
- Cuire 10 minutes à 230°C (450°F), réduire la chaleur à 180°C (350°F) et cuire 20 minutes.

● Pommes et chou 4 PORTIONS

3 pommes	1 ml (1/4 c. à thé) de graines de carvi
1/2 chou rouge	
15 ml (1 c. à s.) d'huile de carthame	Gomashio

- Peler et couper les pommes en morceaux, couper le chou en belles grandes lanières.
- Sauter le chou 5 minutes dans l'huile chaude avec le carvi, ajouter les pommes et cuire 10 minutes.

Servir comme légumes d'accompagnement, saupoudrés avec du gomashio.

● Oignons et carottes sautés 4 PORTIONS

2 oignons coupés en rondelles	Levure alimentaire
2 carottes râpées grossièrement	Tamari ou gomashio
15 ml (1 c. à s.) d'huile de carthame	

- Chauffer l'huile, sauter les oignons pour qu'ils soient tendres, ajouter les carottes quelques instants pour les réchauffer.
- Assaisonner en saupoudrant un peu de levure alimentaire

et quelques gouttes de tamari ou une pincée de gomashio.

VARIANTES:

On peut remplacer les carottes par:

- des betteraves; savoureux et coloré

- du rutabaga; goût des frites

- du chou en lanières; délicieux

- etc.

● Aubergines à l'italienne

1 aubergine en rondelles	Pâte de tomate ou sauce maison
1 poivron vert en cubes	Basilic, persil
6 champignons tranchés	Fromage cheddar

• Couper l'aubergine en rondelles (1/4 po).

• Les placer sur une tôle huilée, y étendre une mince couche de concentré de tomate ou mieux votre propre sauce tomate maison.

• Garnir de légumes comme des petites pizzas. Assaisonner.

• Recouvrir de fromage et cuire au four à 180°C (350°F), 10-15 minutes.

Servir avec une céréale légère comme du millet ou du boulghour.

VARIANTES:

- Placer dans une pâte à tarte, ajouter des oignons en rondelles et cuire.

- L'aubergine étant un légume d'automne, hors-saison la remplacer par des rondelles de courge ou de rutabaga.

● Tomates sautées aux aubergines

4 tomates	2 gousses d'ail
1 aubergine	5 ml (1 c. à thé) de basilic
Farine de blé	1 ml (1/4 c. à thé) de thym
250 ml (1 t.) de champignons	Tamari
2 échalotes	

- Couper l'aubergine en cubes et enfariner.
- Trancher les champignons, les tomates, hacher les échalotes et l'ail.
- Déposer les tranches de tomates dans un plat allant au four.
- Sauter les aubergines dans un peu d'huile. Les déposer au centre des tomates.
- Faire revenir les champignons, les échalotes, l'ail et les herbes.
- Disposer autour des cubes d'aubergine. Arroser d'un peu de tamari.
- Cuire 10 minutes à 160°C (325°F).

Délicieux et superbe.

VARIANTE:

- Couvrir de riz cuit, de tranches de tomate et de fromage râpé. Gratiner et vous aurez un délicieux plat de moussaka.

● Aubergines ou courges farcies

1 aubergine coupée en longueur	15 ml (1 c. à s.) d'huile de carthame
1 oignon haché	2 tranches de pain en cubes
1 poivron en cubes	**ou** 125 ml (1/2 t.) de millet cuit
1 branche de céleri coupé fin	125 ml (1/2 t.) de fromage râpé
3 tomates en morceaux	Basilic, sel, paprika

- Évider l'aubergine en laissant 1/4 po tout autour.
- Chauffer l'huile, ajouter l'oignon et sauter.
- Ajouter céleri, poivron, tomates et pulpe de l'aubergine coupée en morceaux.
- Cuire 5 minutes. Mélanger avec du pain ou du millet cuit.
- Bien assaisonner. Remplir les deux moitiés de l'aubergine.
- Recouvrir de fromage et cuire au four à 180°C (350°F), 20 minutes.

• Courge spaghetti délicieuse

1 courge spaghetti
2 ml (1/2 c. à thé) de basilic
2 ml (1/2 c. à thé) de tamari

2 ml (1/2 c. à thé) de levure
alimentaire

- Couper la courge en deux, enlever les graines (les sécher et les manger).

- Cuire à la vapeur ou dans un chaudron avec un peu d'eau ou au four à 150°C (300°F) jusqu'à ce que la chair en forme de nouilles se détache bien avec une fourchette. Le temps de cuisson varie selon la grosseur de la courge. Si trop cuites, les nouilles feront plutôt une purée.

- Détacher la chair de la courge et assaisonner.

Servir dans la courge même ou dans un bol, nature ou nappée d'une sauce à votre choix.

• Zucchini sauté de mon "tchum" 2 - 3 PORTIONS

1 gros oignon en lamelles
1 gros zucchini en demi-lunes
1 gousse d'ail émincée
5 ml (1 c. à s.) d'huile d'olive

3-4 tomates en cubes
5 ml (1 c. à thé) de tamari
2 ml (1/2 c. à thé) de thym

- Chauffer l'huile, faire dorer l'oignon.

- Ajouter l'ail, le zucchini et sauter 5 minutes.

- Ajouter les tomates, les assaisonnements et cuire un peu à feu doux.

Facile, rapide, économique. Servir sur du riz avec une salade.

VARIANTE:

- Ajouter des gros cubes de tofu ou une légumineuse cuite et vous avez là un plat substantiel!

- **Zucchini super simple:** laver et couper le zucchini dans le sens de la longueur, badigeonner d'un peu d'huile, recouvrir de poudre d'ail, de morceaux de tomate et de parmesan. Cuire au four, à "broil" sur une plaque posée sur la grille du bas, pendant 10 minutes. Servir avec une salade de tomate, persil, ail et une pointe de quiche.

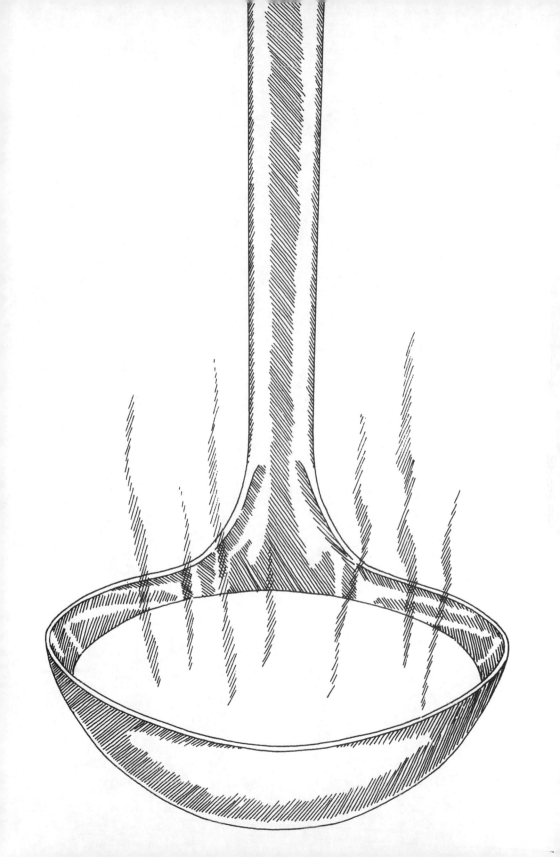

CHAPITRE V

Les soupes

La soupe:

- permet l'utilisation des aliments que nous avons sous la main,
- s'intègre très bien à la boîte à lunch,
- se prépare facilement,
- favorise la créativité.

Il existe différents types de soupes:

- **Le potage léger** fait à base de miso ou de bouillon de légumes, agrémenté de petits cubes de légumes cuits ou de tofu. On le sert au début du repas.

- **le velouté ou potage très onctueux** fait à base de légumes cuits ou crus, mis en purée, et épaissi avec du lait ou de la crème et un peu de farine. On le sert également au début du repas.

- **la soupe-repas** faite à base de légumes, de céréales cuites et/ou de légumineuses cuites, de pâtes. On la sert comme plat de résistance.

LE BOUILLON

Afin que la soupe soit inoubliable et réjouissante, une attention particulière sera accordée au bouillon. Voici plusieurs suggestions pour vous fricoter un bon bouillon.

- Conserver tout liquide qui contient des éléments nutritifs: eau de cuisson des légumes à la vapeur, eau de cuisson des pâtes alimentaires, une tisane à la menthe, etc.

- Conserver au réfrigérateur toutes les parties **saines** des légumes qu'on enlève lorsqu'on les apprête (bouts de carottes, tiges de persil, feuilles de céleri, bouts de haricots, cosses de pois, etc.). Quand on en a suffisamment, mettre dans une grande casserole d'eau. Ajouter oignon et herbes et porter à ébullition; mijoter pendant 45 minutes. Refroidir et couler le bouillon. Conserver dans des pots au réfrigérateur (3 jours) ou congeler. Ne pas oublier de **laver** ces morceaux de légumes.

- De la même manière, on peut faire un bouillon en utilisant les légumes eux-mêmes (par exemple: 4 carottes, 1 branche de céleri y compris les feuilles, 1 oignon, 1 poivron vert, persil et fines herbes à son goût) au lieu des restes de légumes.

- Sauter oignon, ail, céleri et herbes (basilic, thym, marjolaine) avant d'ajouter le bouillon ajoute beaucoup de saveur.

- Le miso et le tamari rehaussent le goût. Les ajouter 5 minutes avant la fin de la cuisson.

- Sur le marché, nous retrouvons d'excellents concentrés pour soupe faits à partir de légumes et d'herbes déshydratés.

Voici différentes suggestions pour **préparer** la soupe:

- Couper des légumes en gros morceaux, cuire à la vapeur. Mettre en purée au mélangeur avec l'eau de cuisson et ajouter à une béchamel bien assaisonnée.

- Cuire des légumes ''croquants'' dans un bouillon. Ajouter des légumineuses cuites et mijoter une dizaine de minutes. Servir avec du bon pain.

- Pour épaissir une soupe, ajouter du riz, millet, pâtes, etc.

- Pour rendre la soupe ''plus onctueuse'', il suffit d'en passer une partie au mélangeur et de rajouter cette purée à la soupe.

- La soupe est le plat idéal pour ''passer'' de la verdure: incorporer au mélangeur persil, cerfeuil, luzerne, etc. à une portion de soupe ajoute couleur, saveur et valeur nutritive.

- Une expérience nouvelle: la soupe crue prête en 5 minutes. Hacher le plus finement possible au robot différents légumes crus (tiges de brocolis, carottes, etc.) avec le couteau de base. Ajouter du bouillon chaud et 2 pommes de terre cuites pour lier le tout. Assaisonner et servir!

- La poudre de lait ajoutée à la soupe, à la toute fin, augmente la valeur nutritive en calcium, protéines, etc.

Toute garniture ajoute fantaisie et valeur nutritive à la soupe. Voici quelques suggestions pour GARNIR la soupe:

- Du fromage râpé.
- Des croûtons à l'ail et/ou 5 ml (1 c. à thé) de levure alimentaire.
- Des germes qu'on ajoute à la dernière minute.
- Des petits cubes de tofu.
- Une cuillerée de yogourt (surtout avec une soupe verte ou à la betterave!) et/ou une fine tranche de radis coupée en forme de fleur.
- Des graines de tournesol.
- Une fine tranche de citron et/ou du persil frais.
- Des feuilles de menthe ou de la ciboulette hachée.

• Soupe au miso   4 PORTIONS

1 petit poireau émincé	5 ml (1 c. à thé) d'huile
1 feuille de chou chinois en fines lanières	225 g (1/2 bloc) de tofu en cubes
	750 ml (3 t.) de bouillon
1 carotte en étoiles ou en bâtonnets	30 - 45 ml (2 - 3 c. à s.) de miso

- Dans un chaudron à fond épais, chauffer l'huile et y faire revenir les légumes; ajouter le tofu, remuer quelques minutes.

- Ajouter le bouillon, amener à ébullition et mijoter 20 minutes.

- Retirer du feu, diluer le miso dans environ 1/2 tasse de bouillon puis incorporer à la soupe.

Servir chaude, décorée avec des rondelles d'échalote.

VARIANTES:

- Diminuer la quantité de légumes et de tofu et en faire un consommé réconfortant.
- Ajouter du gingembre râpé, des champignons sautés... etc.

• Soupe aux légumes 6 PORTIONS

1 oignon haché
2 gousses d'ail émincées
2 branches de céleri en morceaux
2 pommes de terre en cubes
2 carottes en demi-lune
1 l (4 t.) de bouillon

500 ml (2 t.) de tomates en purée
7 ml (1 1/2 c. à thé) de sel
2 ml (1/2 c. à thé) de marjolaine
2 ml (1/2 c. à thé) de basilic
1 ml (1/4 c. à thé) de thym
15 ml (1 c. à s.) de persil séché

• Sauter l'oignon, l'ail et le céleri dans un peu d'huile.

• Ajouter les légumes et cuire dans le bouillon jusqu'à ce qu'ils soient croquants de 15 à 30 minutes selon la grosseur.

• Ajouter les tomates et les herbes et cuire 5 minutes de plus.

Servir garnie de persil frais.

• Soupe à la courge 4 - 6 PORTIONS

1 courge "butternut" ou autre
2 branches de céleri émincées
4 gousses d'ail émincées
15 ml (1 c. à s.) d'huile de carthame

15 ml (1 c. à s.) de tamari
5 ml (1 c. à thé) de basilic
5 ml (1 c. à thé) de ciboulette
2 échalotes émincées

• Couper la courge en gros morceaux et cuire à la vapeur.

• Sauter le céleri et l'ail, ajouter les herbes.

• Passer la courge avec l'eau de cuisson au mélangeur et l'ajouter aux autres ingrédients.

• Ajuster la consistance et l'assaisonnement si nécessaire.

Servir garnie d'échalotes.

● Crème de brocoli 4 PORTIONS

1 brocoli entier
45 ml (3 c. à s.) de farine
45 ml (3 c. à s.) d'huile
500 ml (2 t.) de lait de soya ou bouillon

5 ml (1 c. à thé) de poudre d'algues
15 ml (1 c. à s.) de tamari
2 ml (1/2 c. à thé) de basilic

- Cuire le brocoli à la vapeur.

- Faire une béchamel avec la farine, l'huile et le liquide. Assaisonner.

- Passer brocoli et sauce au mélangeur jusqu'à consistance crémeuse.

VARIANTES:

- **crème de chou-fleur:** utiliser un chou-fleur plutôt qu'un brocoli;

- **crème de céleri:** utiliser oignon, céleri, pommes de terre;

- **crème de poireaux:** utiliser poireaux, pommes de terre;

- **crème de carottes:** utiliser carottes, oignons, un peu de riz cuit.

● Soupe à l'oignon 4 PORTIONS

4 oignons en morceaux
4 gousses d'ail émincées
15 ml (1 c. à s.) d'huile de carthame
1 l (4 t.) de bouillon
2 ml (1/2 c. à thé) de basilic

1 ml (1/4 c. à thé) de marjolaine
1 ml (1/4 c. à thé) de thym
30 ml (2 c. à s.) de tamari
ou de miso

- Sauter les oignons et l'ail dans l'huile, quelques minutes.

- Ajouter le bouillon, les assaisonnements et cuire 15 minutes.

- Servir avec des croûtons à l'ail et gratiner si désiré.

Gratinée et servie après une abondante salade, cela constitue un repas simple et nutritif.

● Croûtons à l'ail

- Griller des tranches de pain au grille-pain ou au four.

- Lorsque chaudes, frottez-y une ou des gousses d'ail. L'ail fond et pénètre dans le pain. On évite ainsi le beurre ou l'huile!

- Découper en croûtons et servir.

VARIANTE:

- Pour des croûtons bien secs, découpez les tranches en dés et faire sécher au four à 95°C (150°F) jusqu'à ce qu'ils soient croustillants et secs. Se conservent bien.

● Bortsch aux betteraves 4 - 5 PORTIONS

4 betteraves	2 ml (1/2 c. à thé) d'estragon
2 pommes de terre	30 ml (2 c. à s.) de jus de citron
125 ml (1/2 t.) de yogourt	(facultatif)

- Cuire les légumes à la vapeur, avec la peau.
- Peler si nécessaire et passer au mélangeur avec du bouillon jusqu'à consistance désirée.
- Ajouter le yogourt et servir, décorer avec une échalote émincée, un peu de yogourt et une mince tranche de citron.

VARIANTE:

- Remplacer les pommes de terre par du concombre.

● Soupe froide: la Gaspacho 8 PORTIONS

Rafraîchissante comme pas une! La préparer à l'avance et la laisser reposer au froid, durant au moins 5 heures.

4 tomates	15 ml (1 c. à s.) de persil frais
1 poivron vert	15 ml (1 c. à s.) de menthe fraîche
1 concombre	2 ml (1/2 c. à thé) de thym
1 branche de céleri	2 ml (1/2 c. à thé) d'estragon
1 petit oignon	45 ml (3 c. à s.) de jus de citron
2 gousses d'ail émincées, ou plus	30 ml (2 c. à s.) d'huile d'olive
Jus de tomate pour couvrir	Une pincée de poivre de cayenne
15 ml (1 c. à s.) de basilic frais	

- Laver et hacher finement les légumes, couvrir avec le jus de tomate.
- Ajouter les autres ingrédients; ajuster l'assaisonnement et la consistance au goût.

- Réfrigérer quelques heures et servir.

● Soupe aux lentilles 6 PORTIONS

2 oignons hachés
2 gousses d'ail émincées
2 carottes en demi-lune
1 branche de céleri en morceaux
15 ml (1 c. à s.) d'huile de carthame
1 l (4 t.) de bouillon

250 ml (1 t.) de lentilles lavées
1 grosse boîte de tomates en
conserve avec le jus
2 ml (1/2 c. à thé) de sarriette
2 ml (1/2 c. à thé) de thym

- Dans un grand chaudron, sauter les oignons et l'ail, ajouter les carottes, le céleri et les herbes et cuire une minute.
- Ajouter le bouillon, les lentilles, les tomates. Amener à ébullition.
- Mijoter 45 minutes à feu moyen. Avant de servir, rectifier l'assaisonnement si nécessaire et garnir de persil frais (1/4 t.) et d'une échalote émincée.

Servir avec du pain et du fromage.

● Soupe aux pois verts cassés 4 PORTIONS

1 oignon haché
2 gousses d'ail émincées
1 carotte en rondelles
15 ml (1 c. à s.) d'huile de carthame
250 ml (1 t.) de pois cassés lavés

1,5 l (6 t.) de bouillon
5 ml (1 c. à thé) de basilic
2 ml (1/2 c. à thé) de thym
5 ml (1 c. à s.) de miso **ou** tamari

- Sauter l'oignon, l'ail et la carotte dans l'huile.
- Ajouter les pois cassés, le bouillon et les herbes. Cuire 1 heure.
- Ajouter le miso ou le tamari et servir.

● Soupe aux fèves rouges 4 PORTIONS

200 ml (3/4 t.) de fèves rouges
trempées la veille
2 carottes coupées en biseau
2 pommes de terre en gros cubes
2 panais en cubes
1 feuille de laurier

1 l. (4 t.) de bouillon
5 ml (1 c. à thé) d'origan
1 ml (1/4 c. à thé) de basilic
1 ml (1/4 c. à thé) de marjolaine
5 ml (1 c. à thé) de sel
1 pincée de cayenne

- Cuire les fèves (trempées au préalable) dans le bouillon pendant 1 heure.
- Ajouter les légumes et les assaisonnements et cuire encore 1/2 heure.
- Ajouter du bouillon ou du jus de tomate si nécessaire.
- Liquéfier le quart de la soupe au mélangeur et rajouter à la soupe.

Servir avec du pain.

● Soupe à l'orge

- Ajouter 250 ml (1 t.) d'orge déjà cuit à une base de soupe aux légumes. Ajuster la consistance.

  OU

- Cuire de l'orge déjà trempé dans beaucoup d'eau pendant 1 heure. Ajouter des légumes et des herbes au choix, assaisonner et laisser mijoter 30 minutes. C'est si facile!

● Soupe aux pommes de terre et kasha 8 PORTIONS

2 litres (8 t.) de bouillon	10 ml (2 c.à thé) de basilic
6 pommes de terre en cubes	5 ml (1 c. à thé) de thym
2 gros oignons émincés	15 ml (1 c. à s.) de tamari
2 branches de céleri en cubes	Persil frais et 1 échalote
125 ml (1/2 t.) de kasha (sarrasin rôti)	250 ml (1 t.) de lait
	ou 75 ml (1/3 t.) de poudre de lait

- Mettre les légumes, le kasha, les herbes dans le bouillon et amener à ébullition, baisser le feu, couvrir et laisser mijoter de 20 à 30 minutes ou jusqu'à ce que les pommes de terre soient tendres.
- Ajouter le tamari, le persil, l'échalote et le lait et mijoter 5 minutes.

VARIANTE:

- Ajouter 1/2 paquet d'épinard et de romaine et passer au mélangeur.

CHAPITRE VI

Les sauces et trempettes

En général, la sauce sert à augmenter le plaisir gustatif. Elle permet également de masquer un aliment qui plaît moins.

Cependant, il ne faut pas que la sauce devienne une habitude, ni qu'elle devienne indispensable à la dégustation. La servir à l'occasion seulement.

Un filet d'huile ou un peu de jus de citron et du persil haché fin remplacera avantageusement "la sauce". Et n'oublions pas qu'une bonne mastication insalive et ramollit tous les mets... pour qui s'y met!

Des sauces... à toutes les sauces

Ingrédients de base:

LIQUIDE:

- Lait, lait de soya, laits de noix, petit lait.
- Eau de cuisson des légumes.
- Tisanes diverses.

- Jus de fruits (pour les desserts).

LIANT:

- Farine (blé, sarrasin, etc.)

- Fécule

Huile ou beurre: pour la saveur et la texture (facultatif).

Assaisonnements: ail, oignon, herbes, épices, etc.

Le mode de préparation est expliqué pour chaque recette.

- **Sauce Béchamel**

60 ml (4 c. à s.) d'huile de carthame   2 ml (1/2 c. à thé) d'estragon
60 ml (4 c. à s.) de farine de blé   1 ml (1/4 c. à thé) de sel
ou autre   Une pincée de muscade
500 ml (2 t.) de lait de soya chaud

- Dans un chaudron ou une poêle, chauffer l'huile à feu doux.

- Ajouter la farine et remuer jusqu'à l'obtention d'un roux léger.

- Ajouter le lait chaud lentement en remuant énergiquement avec un fouet et amener à ébullition sur feu moyen, jusqu'à épaississement.

- Assaisonner et laisser mijoter 3 minutes.

- Laisser reposer quelques instants avant de servir.

Une sauce bien remuée ne devrait pas faire de grumeaux. Si toutefois il y en a, la passer au mélangeur, au robot ou au tamis.

VARIANTES:

- Selon que l'on augmente ou diminue la quantité de liquide ou de farine, la sauce est plus claire ou plus épaisse. 1, 2 ou 3 c. à s. de farine pour 250 ml (1 t.) de liquide donne une sauce claire, moyenne ou épaisse.

- On recommande d'utiliser du lait chaud pour faire les sauces, mais on peut également se servir de lait froid. Il faut alors mélanger plus vigoureusement afin d'éviter les grumeaux.

- **Sauce au fromage:** ajouter du fromage râpé à la sauce déjà prête, remuer jusqu'à qu'il soit fondu et ajouter des herbes.

- **Sauce à l'oignon et/ou à l'ail:** sauter les oignons et l'ail dans l'huile, ajouter la farine, chauffer un peu, ajouter le lait et cuire jusqu'à épaississement.

- **Sauce aux tomates, au brocoli, aux épinards ou autre:** ajouter 1 tasse de purée de légume pour chaque tasse de sauce. Si vous ajoutez 2 tasses de purée pour chaque tasse de sauce, vous aurez une délicieuse crème de légumes. Assaisonner, cuire 5 minutes à feu doux.

- **Sauce sans gras:** griller légèrement la farine pour ne pas que la sauce goûte la farine crue; ajouter le lait petit à petit en remuant constamment. Cuire sur feu moyen en brassant jusqu'au point d'ébullition.

- **Sauce aux champignons:** mêmes ingrédients que la béchamel; sauter les champignons dans l'huile, ajouter la farine, chauffer un peu, ajouter le lait et cuire jusqu'à épaississement.

- **Ne pas oublier:**
  Que l'ail, l'oignon, le gingembre râpé rehaussent magnifiquement la saveur de la majorité de vos sauces. Les sauter au début dans l'huile, ajouter la farine et procéder comme à l'habitude.

● **Sauce brune**

30 ml (2 c. à s.) d'huile de carthame   30 ml (2 c. à s.) de tamari ou plus
30 ml (2 c. à s.) de farine   1 ml (1/4 c. à thé) de basilic
250 ml (1 t.) d'eau ou de bouillon   Persil
chaud

. Chauffer l'huile. Y ajouter la farine et griller un peu à feu doux.

. Ajouter l'eau ou le bouillon chaud en brassant énergiquement avec un fouet et amener à ébullition sur feu moyen.

. Assaisonner de tamari et de basilic, décorer de persil haché.

Servir chaud sur des croquettes, pommes de terre ou céréales.

VARIANTES:

- **Sauce à l'oignon:** au début, sauter 1 oignon haché dans l'huile puis procéder comme ci-dessus.

- **Sauce à l'échalote et/ou à l'ail:** comme la sauce à l'oignon en remplaçant l'oignon par de l'ail ou des échalotes.

- **Sauce au tamari-tahini;** ajouter 15 ml (1 c. à s.) de tahini à la toute fin. Bien mélanger et servir sur des pains, galettes, croquettes, etc.

- Remplacer la farine par 15 ml (1 c. à s.) de fécule pour chaque tasse de liquide. Sauter l'oignon, ajouter l'eau et chauffer; dissoudre la fécule dans le tamari, verser dans l'eau et cuire jusqu'à consistance onctueuse en remuant constamment.

● Sauce simple aux tomates

FACILE À PRÉPARER ET DÉLICIEUSE.

30 ml (2 c. à s.) d'huile d'olive
1 oignon haché
3 gousses d'ail émincées
7 ml (1 1/2 c. à thé) d'origan
2 ml (1/2 c. à thé) de basilic

1 feuille de laurier
1 l. (4 t.) de tomates fraîches blanchies et pelées ou de tomates en conserve
5 ml (1 c. à thé) de sel

- Sauter l'oignon dans l'huile d'olive 5 minutes. Ajouter l'ail et faire revenir 2 minutes.

- Ajouter l'origan, le basilic et la feuille de laurier, cuire 1 minute.

- Écraser les tomates, les ajouter avec le sel aux autres ingrédients.

- Mijoter à feu doux, au moins 30 minutes. Rectifier l'assaisonnement au goût.

VARIANTES:

- Pour une sauce tomate crémeuse, pour servir sur des pâtes fraîches par exemple, ajouter environ 250 ml (1 t.) de béchamel épaisse assaisonnée et une pincée de cannelle.

- Pour une sauce plus nutritive, ajouter du sarrasin cuit, une légumineuse cuite, des graines ou noix grossièrement moulues, du persil frais haché fin, etc.

● **Sauce au gingembre** pour accompagner chop suey ou chow mein

250 ml (1 t.) de bouillon ou d'eau   2 ml (1/2 c. à thé) de cari
45 ml (3 c. à s.) de tamari   15 ml (1 c. à s.) de fécule de marante
5 ml (1 c. à thé) de gingembre frais râpé

- Dans un chaudron, mélanger tous les ingrédients.
- Ajouter la fécule délayée dans un peu d'eau froide.
- Chauffer en remuant jusqu'à ce que la sauce épaississe.

● **Sauce au yogourt**

Pour servir avec des falafels dans un pain pita.

250 ml (1 t. de yogourt)   15 ml (1 c. à s.) de tahini
5 ml (1 c. à thé) de graines d'aneth 15 ml (1 c. à s.) d'huile de tournesol
3 gousses d'ail écrasées

- Mélanger le tout.

● **Guacamole (trempette à l'avocat)**

SUPERBE ET RAFRAÎCHISSANTE

2 avocats mûrs et pelés   2 gousses d'ail émincées
45 ml (3 c. à s.) de jus de citron   1 ml (1/4 c. à thé) de poudre de
1 tomate coupée finement   Chili
1 échalote hachée finement   Une pincée de poivre de cayenne

- Mettre l'avocat en purée avec le jus de citron au mélangeur ou au fouet.
- Ajouter les autres ingrédients et mélanger.

Servir entourée de germes de luzerne et de radis et accompagnée de crudités ou sur du pain grillé.

● **Trempette au tahini**

125 ml (1/2 t.) de tahini   2 gousses d'ail pressées
60 ml (4 c. à s.) d'eau   2 ml (1/2 c. à thé) de tamari
30 ml (2 c. à s.) de jus de citron

- Ajouter l'eau et le jus de citron au tahini en alternant et par petites quantités à la fois.

- Fouetter vigoureusement à la fourchette, pour bien émulsionner.

- Lorsque le mélange est épais et onctueux, ajouter l'ail et le tamari.

● Trempette "cottage", de la présidente

250 ml (1 t.) de fromage "cottage"
125 ml (1/2 t.) de mayonnaise
30 ml (2 c. à s.) de jus de citron
1 prune umeboshi (facultatif)
2 gousses d'ail

1 ml (1/4 c. à thé) de graines de céleri
Une pincée de poivre de cayenne
Estragon, graines de cumin au goût

- Passer tous les ingrédients au mélangeur. Pour garnir, ajouter une échalote émincée si désiré.

Servir avec des crudités.

● Trempette aux zucchinis

250 ml (1 t.) de zucchini finement râpé
1 oignon haché très fin
60 ml (1/4 t.) de persil haché fin
30 ml (2 c. à s.) de jus de citron

1 gousse d'ail émincée
2 ml (1/2 c. à thé) de tamari
2 ml (1/2 c. à thé) de basilic
125 ml (1/2 t.) de mayonnaise, environ

- Mélanger tous les ingrédients et ajouter suffisamment de mayonnaise pour obtenir la consistance désirée.

Servir avec des crudités et quelques craquelins.

CHAPITRE VII

Les noix et graines

- **Graines de tournesol grillées**

  250 ml (1 t.) de graines de tournesol
  Quelques gouttes de tamari

  - Laver les graines de tournesol, les sécher dans une poêle en fonte chaude.
  - Griller jusqu'à ce qu'elles brunissent légèrement.
  - Mettre dans un bol et assaisonner de quelques gouttes de tamari.

  Servir comme collation ou pour accompagner une salade.

- **Gomashio (sel de sésame)**

  Délicieux, nutritif et polyvalent.

  À utiliser dans les sandwiches, les salades, sur les légumes cuits.

  Se conserve dans un pot de verre au réfrigérateur.

  250 ml (1 t.) de graines de sésame   5 ml (1 c. à thé) de sel marin
  entières

  - Bien laver les graines.

- Faire chauffer une poêle en fonte. Ajouter les graines de sésame, sécher et griller tout en brassant.

- Lorsque les graines ont légèrement bruni, ajouter le sel et griller une minute supplémentaire.

- Refroidir et moudre au suribachi (mortier japonais) ou au mélangeur.

• Noix trempées

- Prendre l'habitude de faire tremper 30 ml (2 c. à s.) de noix ou de graines avant de se coucher.

- Au déjeuner, les manger entières ou en purée, ou les réserver pour le lunch ou la collation. Ajoutez-les à votre salade. Une habitude nutritive!

- Les noix et graines trempées sont agréables à mastiquer et se digèrent plus facilement.

- Même les noix avec écales, trempées 2 jours, ont le goût de la noix fraîche.

• Beurres de noix émulsionnés

Préparés ainsi, les beurres de noix acquièrent une texture agréable et sont plus digestes.

Beurre d'arachide, d'amande   Eau tiède
ou de sésame...

- Fouetter la quantité désirée de beurre de noix avec un peu d'eau à la fois.

- Bien battre jusqu'à consistance de crème onctueuse.

Servir immédiatement avec du pain, sur des crêpes, ou avec des fruits.

Selon la quantité d'eau, vous obtiendrez une crème à tartiner, une sauce pour y tremper des fruits, ou une sauce à salade.

C'est facile et tellement savoureux!

À préparer en petite quantité: ne se conserve pas long-temps.

VARIANTE:

- Ajouter du miel et vous aurez un délicieux glaçage à gâteau.

● Crème de noisettes

Donne une crème genre "Nutella", délicieuse sur des rôties ou des muffins.

250 ml (1 t.) de noisettes
30 ml (2 c. à s.) de miel
30-45 ml (2 à 3 c. à s.) de caroube
5 ml (1 c. à thé) de vanille

60-125 ml (1/4-1/2 t.) de poudre de lait
Lait ou eau

- Mettre les noisettes dans le mélangeur et les couvrir de lait. Liquéfier.

- Ajouter le miel, la caroube et la vanille. Mélanger.

- Ajouter la poudre de lait graduellement tout en continuant de mélanger et jusqu'à obtention d'une pâte épaisse et onctueuse.

La crème fige au réfrigérateur. Se conserve une semaine au froid.

● Pâté végétal 6 PORTIONS

Excellent pour tartiner ou avec des crudités!

200 ml (3/4 t.) de farine de blé entier
125 ml (1/2 t.) de graines de tournesol moulues
30 ml (2 c. à s.) de jus de citron
75 ml (1/3 t.) d'huile de carthame ou de tournesol
1 gousse d'ail émincée
175 ml (2/3 t.) de levure alimentaire

2 oignons émincés
1 carotte émincée
1 branche de céleri émincée
1 pomme de terre crue râpée
60 ml (4 c. à s.) de tamari
5 ml (1 c. à thé) de basilic
2 ml (1/2 c. à thé) de thym
1 ml (1/4 c. à thé) de sauge
250 ml (1 t.) d'eau chaude ou moins

- Émincer tous les légumes au couteau ou au robot.

- Bien mélanger tous les ingrédients.

- Étaler dans un moule sur environ 4 cm (1 1/2 po) d'épaisseur.

- Cuire à 180°C (350°F) pendant 45 minutes à une heure.

- Refroidir et démouler.

• **Pâté aux amandes** 6 PORTIONS

2 gros oignons émincés
2 gousses d'ail émincées
60 ml (1/4 t.) de champignons
tranchés
30 ml (2 c. à s.) d'huile
15 ml (1 c. à s.) de farine

250 ml (1 t.) d'eau ou de bouillon
2 oeufs battus
250 ml (1 t.) d'amandes moulues
grossièrement
125 ml (1/2 t.) de pain émietté
Tamari, basilic, marjolaine

• Chauffer l'huile et sauter les oignons, l'ail et les champignons avec les assaisonnements. Saupoudrer la farine.

• Ajouter l'eau ou le bouillon et laisser épaissir.

• Ajouter les oeufs. Cuire 2 minutes.

• Ajouter les amandes et le pain émietté. Le mélange deviendra alors épais.

• Verser dans un moule huilé. Cuire 45-60 minutes selon l'épaisseur du pâté à 180°C (350°F).

• **Boulettes "sans viande"** 6 PORTIONS

250 ml (1 t.) de flocons d'avoine
250 ml (1 t.) de graines de tournesol
125 ml (1/2 t.) de chapelure
45 ml (3 c. à s.) de germe de blé
1 gros oignon haché fin
1 oeuf
5 ml (1 c. à thé) de levure
alimentaire

150 g (5 on.) de tofu
45 ml (3 c. à s.) d'huile
2 gousses d'ail
5 ml (1 c. à thé) de tamari
5 ml (1 c. à thé) de thym
10 ml (2 c. à thé) de basilic
5 ml (1 c. à thé) de 4 épices
5 ml (1 c. à thé) de sarriette

• Moudre les flocons d'avoine et les graines de tournesol.

• Mélanger dans un grand bol les 5 premiers ingrédients.

• À l'aide du robot, mélanger l'oeuf, la levure, le tofu, l'huile, l'ail, le tamari et les assaisonnements.

• Incorporer aux autres ingrédients dans le grand bol et bien mélanger à la cuillère.

• Façonner en petites boulettes (ou en croquettes).

• Cuire 15 à 20 minutes dans une sauce brune à l'oignon.

Servir tel quel avec des pommes de terre et autres légumes-racines, ou servir sur une céréale.

VARIANTE:

- Cuire les boulettes dans la sauce tomate et servir sur **pâtes**.

Les noix, les graines et les légumes

Les céréales

Les légumineuses

Les desserts

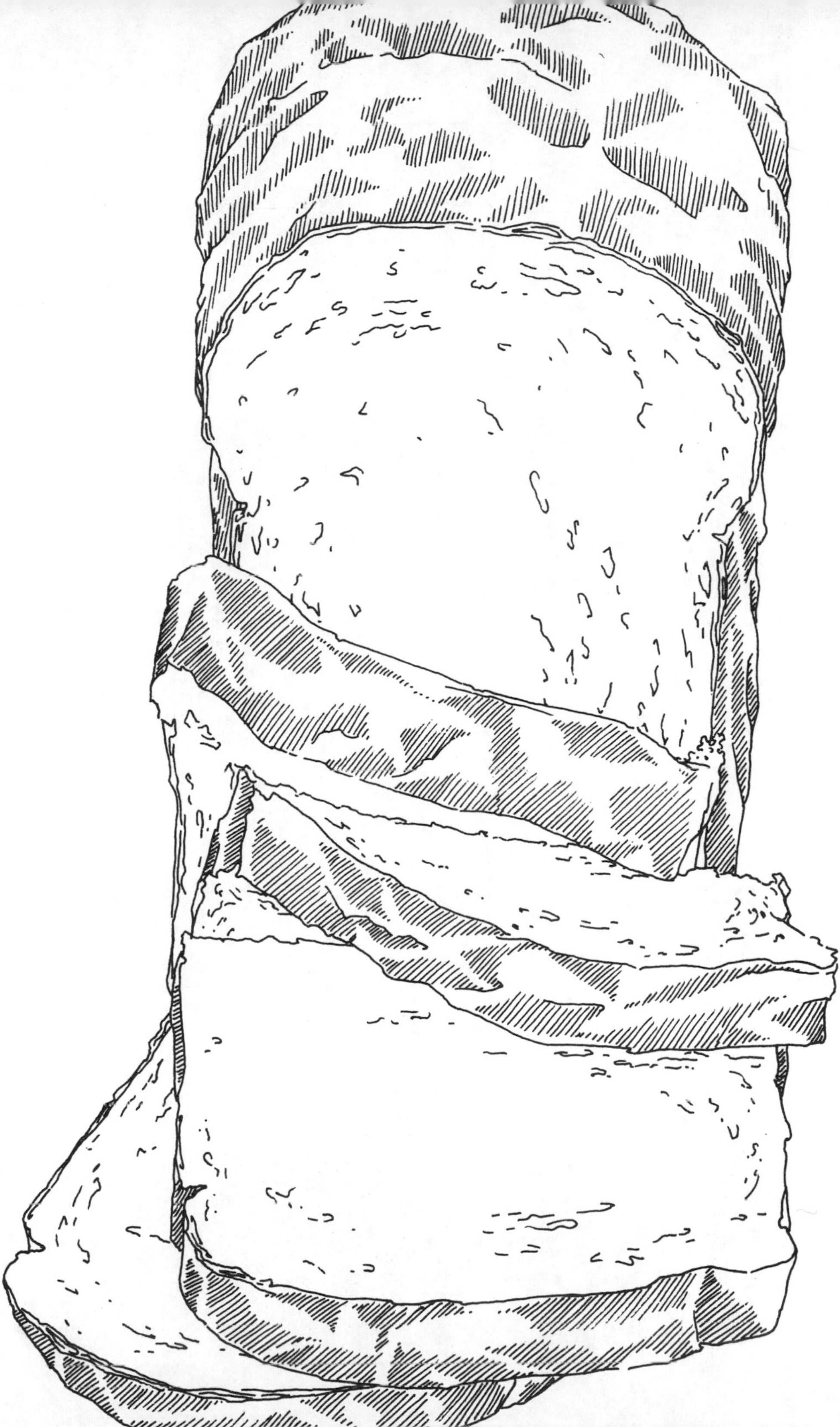

CHAPITRE VIII

Les pains
Les pâtes à tarte
Les quiches et les sandwiches
Les crêpes et les galettes

LE PAIN

Le pain est une denrée de base dans notre alimentation quotidienne. Nous en consommons beaucoup, soit pour accompagner un plat, soit sous forme de sandwiches. Il est donc essentiel de connaître chacune des étapes de sa fabrication. Ceci nous permettra de mieux évaluer la qualité du pain.

Pour plusieurs, remplacer le pain blanc par du pain de blé entier est la première étape vers une alimentation saine.

Qualité du pain

- Doit avoir une couleur, une odeur et une consistance de vie.
- La qualité des ingrédients de base (culture, récolte, etc.) et la qualité des méthodes de transformation utilisées (mouture sur meules de pierre, cuisson, etc.) déterminent la qualité du produit final.

Le pain moderne:

- Grains de blé de culture non-biologique.
- Raffinage de la farine qui enlève le son et le germe.
- Mouture industrielle sur meules de métal qui chauffent le grain et l'oxydent.
- Cuisson rapide.
- Rempli d'additifs chimiques: une trentaine sont autorisés.
- Exemple: on rajoute au pain des vitamines synthétiques pour l'enrichir alors que ce même pain vient d'être privé de beaucoup d'éléments nutritifs par le raffinage qu'il a subi!!!

   Le pain moderne est un produit dégénéré et dégénérant. Recherchons les fournisseurs de ''pain vivant'' ou fabriquons-le nous-mêmes.

INGRÉDIENTS:

La farine

- Utiliser de la farine entière blutée (tamisée) à 85%.
- Fraîchement moulue sur meules de pierre.
- La saveur de la farine fraîchement moulue est incomparable!
- Utiliser du blé dur biologique qui contient plus de gluten et de minéraux que le blé mou (farine à pâtisserie).

Moulin à meules de pierre	Moulin à meules de métal
• Chauffe plus lentement donc oxyde moins le blé.	• Chauffe rapidement, ce qui oxyde le blé.
• N'accepte pas les grains non-mûris ou humides	• Accepte les grains non-mûris et de moindre qualité
• Sert à moudre les céréales seulement.	• Sert à moudre les grains, les noix et les légumineuses.

Variétés de farine

Pour boulanger un pain, utiliser au moins 60% de farine de blé dur.

Le blé dur et le seigle contiennent plus de gluten que les autres céréales. Le gluten est une protéine qui donne l'élasticité au pain.

- 75% de farine de blé dur - 25% de farine de sarrasin. Donne un pain plus foncé, au goût plus riche.

- 40% de farine de blé dur - 60% de farine de seigle. Donne un goût délicieux, une texture plus dense.

- 80% de farine de blé dur - 20% de farine de soya. Donne un goût de noix et une protéine complète.

- 80% de farine de blé dur - 20% de farine d'avoine. Donne un pain léger et spongieux (avoine en farine ou en flocons).

- 80% de farine de blé dur - 20% d'okara ou de pulpe de soya. Donne une texture intéressante.

- Laisser aller son imagination!

Les huiles

- Utiliser peu d'huile, juste assez pour attendrir la mie de pain: 1/4 tasse pour 9 - 10 tasses de farine suffit.

- Prendre une huile de qualité, non-hydrogénée. L'huile de maïs donne un très bon goût.

Le miel

- La levure a besoin de sucres simples pour se nourrir et

dégager du gaz carbonique CO_2 afin de permettre à la pâte de lever.

- Très peu, juste assez pour alimenter la levure. Utiliser du miel non-pasteurisé.
- 1/4 tasse pour 9 - 10 tasses de farine donne un pain légèrement sucré.

Le sel

- Aide la pâte à lever. Régularise l'effet de la levure. Améliore la saveur.
- La pâte ne lève pas aussi rapidement quand on utilise trop de sel.
- Utiliser du sel marin.

L'eau

- Utiliser de l'eau de source de préférence.
- L'eau doit être tiède, 46°C (110°F). L'eau trop chaude tue la levure et l'eau froide retarde son action.
- Le lait peut remplacer l'eau ou s'y combiner:
- Il faut alors chauffer le lait juste en-dessous du point d'ébullition pour détruire les bactéries qui pourraient contrarier l'action de la levure, puis, laisser tiédir. Donne un pain plus protéiné.
- Les bouillons, les eaux de cuisson de légumes s'emploient avec l'eau ou la remplacent. Ils ajoutent vitamines, minéraux et saveur.

<u>**Autres ingrédients à ajouter au pain, lors du dernier pétrissage**</u>

- Les pommes de terre pilées donnent un goût sucré et un pain léger (1/2 t. / 2 t. de farine).
- La poudre de lait augmente la valeur nutritive du pain (1 à 2 c. à s. / 1 t. de farine).
- Les céréales déjà cuites (millet, kasha, orge, riz) donnent une texture agréable (1/2 t. / 2 t. de farine).
- L'okara complète bien la protéine du blé (1/2 t. / 2 t. de farine).

- Les graines de tournesol rôties ou non ajoutent à la valeur nutritive du pain et à sa saveur (1/2 à 1 t. par pain).

- La levure alimentaire augmente également la valeur nutritive et le goût (1 c. à s. / 1 t. de farine).

- Les herbes (origan, marjolaine, thym, basilic) donnent un parfum inoubliable (quantité selon le goût).

- Le fromage râpé peut être ajouté à la pâte (1/2 à 1 t. par pain).

- Les oeufs ajoutent légèreté, texture et valeur nutritive (1 oeuf / 4 t. de farine).

- L'ail (quantité d'ail émincé au goût).

- Les graines de carvi accompagnent habituellement la farine de seigle pour la confection du pain de seigle: goût savoureux à découvrir.

- Les raisins avec cannelle et noix pour le pain aux raisins (quantité au goût).

- Le blé germé ajouté au pain donne une texture croquante (1/2 à 1 t. par pain).

D'autres idées? On confectionne le pain selon l'inspiration du moment, selon les ingrédients que l'on a sous la main. Un ou plusieurs éléments peuvent varier. Ceci n'est qu'un guide pour vous aider à confectionner le pain qui vous plaira par son arôme et sa texture.

Ne pas oublier:

- Pour être bien digéré et assimilé, il faut bien ''mastiquer et insaliver'' le pain; car la digestion de l'amidon commence dans la bouche, n'est-ce pas?

- **C'est de plus un réel plaisir que de savourer du bon pain!**

● Pain à la levure

1,2 l (5 t.) d'eau tiède
60 ml (1/4 t.) de miel
30 ml (2 c. à s.) de levure
125 ml (1/2 t.) d'huile de maïs
30 ml (2 c. à s.) de sel marin.

3 l (12 t.) de farine de blé dur (à pain) **ou** 8 à 10 t. de farine de blé dur **et** 2 à 4. t. de toute autre farine (soya, sarrasin, seigle, avoine, etc.)

Cette recette donne 4 PAINS ou 8 GRANDES PIZZAS et peut être doublée.

1. Dissoudre le miel dans l'eau tiède, 46°C (110°F), y saupoudrer la levure. S'assurer que tous les grains de levure touchent à l'eau.

   Au bout de quelques minutes, la levure s'active. Les grains éclatent et il y a un bouillonnement. C'est signe que la levure est bien vivante. Si la levure ne s'active pas, jeter le tout et recommencer.

   *Aussitôt que la levure s'active, vous pouvez continuer la recette. Plus vous attendez, plus la levure s'épuise. Ne jamais dépasser 20 minutes d'attente.

2. Ajouter l'huile, le sel puis 250 ml (1 t.) de farine. Continuer d'ajouter la farine 1 tasse à la fois en brassant énergiquement.

   Brasser en ramenant la pâte vers soi tout en décrivant un cercle et sortir la cuillère de la pâte afin d'y incorporer de l'air et de développer l'élasticité du gluten (protéine du blé).

   Lorsque la moitié de la quantité de farine a été ajoutée, la pâte est alors très épaisse et élastique.

   À ce moment, on peut inclure d'autres ingrédients. Consulter la liste précédente.

3. Ajouter le reste de la farine progressivement jusqu'à ce que la pâte se détache du bol.

   *Rendu à cette étape, vous pouvez mettre la pâte dans un plat couvert, au réfrigérateur pendant 8 à 10 heures et continuer le lendemain, ou congeler le tout et continuer un autre jour.

4. Déposer la pâte sur une planche ou un comptoir bien enfa-riné et pétrir.

5. **Le pétrissage** se fait fermement avec les paumes des mains sans toutefois déchirer la pâte. Il s'agit de tourner la boule de pâte de 1/4 de tour, de l'étirer un peu et de la ramener vers soi en la pliant en deux.

   Lorsque vous pétrissez une grande quantité de pâte, il faut travailler avec un mouvement de tout le corps, un pied légèrement devant l'autre. Cette posture ne crée aucune tension dans les épaules ou les bras.

   Lorsque la pâte semble gonfler d'elle-même et qu'elle re-tient à peine la marque de la pression d'un doigt, le pétris-sage est suffisant!

6. Huiler un grand bol. Ne pas oublier que la pâte doublera de volume. Déposer la boule de pâte en la tournant sur elle-même afin de la huiler. Couvrir d'un papier ciré huilé et d'un linge humide ou sec, selon le degré d'humidité de la pièce. Toujours bien couvrir une pâte qui lève, sinon le dessus formera une croûte fendillée: des morceaux bruns et durs se retrouveraient dans la mie, après la cuisson.

7. Laisser lever dans un endroit chaud et à l'abri des courants d'air. Le pain à la levure lève bien entre 18°-20°C (70°-80°F).

8. Au bout d'une heure et demie, la pâte devrait avoir doublé. Une pâte qui a suffisamment levé s'affaisse quand on y enfonce le poing; sinon elle ''rebondit'' et lève à nouveau très rapidement.

9. Diviser la pâte en boules égales correspondant au nombre de miches désirées; couper au couteau ou avec le côté de la main. Ne pas déchirer la pâte.

10. Pétrir à nouveau chaque boule environ 5 minutes; si désiré, y incorporer des graines, du fromage, des raisins, etc. Couvrir et laisser reposer sur le comptoir enfariné 15 minutes. Cette courte période de repos assure au pain une texture fine et légère.

11. Aplatir à la main ou au rouleau à pâte chacune des boules. Façonner en pain à la main ou au rouleau. La technique au rouleau est simple et donne un pain de

forme égale et sans poche d'air:

Il suffit d'aplatir la pâte en forme de rectangle de la longueur du moule à pain et de rouler comme un gâteau roulé.

À chaque tour, il faut sceller les bouts et le centre avec le côté de la main afin que la pâte ne décolle pas à la cuisson, ce qui donnerait un genre de spirale plutôt qu'un pain à texture fine.

12. Déposer chaque miche dans un moule bien huilé. Couvrir. Laisser lever environ 1 heure. La pâte a assez levé lorsqu'elle retient à peine la marque d'un doigt. Un pain de blé entier double de volume alors qu'un pain blanc peut tripler de hauteur.

Si le pain semblait avoir trop levé (la marque du doigt est nette et la pâte a tendance à s'affaisser), il faut démouler, façonner en pain de nouveau et faire lever. Cette levée sera très rapide, entre 20 et 30 minutes. Il faut surveiller. Une pâte qui a trop levé donne un pain qui s'affaisse dans le four et qui s'émiette plus facilement.

13. Cuire dans un four préchauffé à 180°C (350°F) pendant 45 minutes. Lorsque le pain est cuit, il émet un son creux lorsqu'on tape la croûte. Avec l'expérience on sait que le pain est cuit à son arôme. Si le pain n'est pas suffisamment cuit, il dégonfle en refroidissant.

14. Au sortir du four, il faut démouler les pains, les déposer sur une grille, couchés sur le côté et attendre patiemment qu'ils refroidissent avant de trancher.

VARIANTES:

- Au lieu des miches de pain régulières, on peut s'amuser à donner des formes différentes comme des tresses, des petites boules, des bâtonnets, des pitas... Surveiller la cuisson.

NOTE: 2 tasses de farine par pain pour les petits moules
3 tasses de farine par pain pour les grands moules.

CONGÉLATION D'UNE PÂTE CRUE

- On peut congeler une pâte à pain crue façonnée en miche juste avant sa dernière levée dans un moule.

- Il suffit de la déposer sur un papier ciré huilé, de l'insérer dans un sac en plastique et de bien fermer (sans air).

Pour la cuisson

- Sortir du congélateur la veille de la cuisson et déposer dans le moule bien huilé. Couvrir. Laisser lever.

Pourquoi ne doit-on pas manger de la pâte à pain crue?

- La levure est un champignon microscopique qui se développe à la chaleur, 26°-43°C (80-115°F) et à l'humidité et pourrait causer des problèmes de digestion. Elle est détruite pendant la cuisson.

Pourquoi ne doit-on pas manger le pain au sortir du four?

- La levure se nourrit de sucres simples et produit du gaz carbonique (CO_2) qui en passant au travers du gluten fait lever le pain. Laisser refroidir permet au CO_2 de sortir du pain avant de le consommer.

● Pâte à pizza

La recette de pain à la levure donne 8 pizzas de 35 cm (14 po) de diamètre. Une bonne occasion de s'en congeler à l'avance, ou encore divisez la recette selon vos besoins.

- Suivre la technique de la recette de pain jusqu'après la première levée (8.).

- Abaisser la pâte, la diviser selon le nombre et la grandeur des pizzas. Ne pas pétrir.

- Aplatir assez mince (2-3 cm) au rouleau à pâte.

- Déposer la pâte sur une tôle huilée, la piquer un peu à la fourchette et la cuire à 200°C (400°F) pendant 7 minutes.

- Congeler si désiré ou recouvrir de sauce tomate, légumes sautés ou non, tofu, fromage, etc.

- Remettre au four et cuire 15 minutes à 200°C (400°F).

  *La pâte à pizza se congèle crue ou légèrement cuite (7 minutes).

● **Pain ultra-facile (ou pâte à pizza)**

Cette recette donne 2 petits pains. On peut la doubler ou la tripler. Rapide et savoureux!

500 ml (2 t.) d'eau tiède
20 ml (1 1/2 c. à s.) de miel
15 ml (1 c. à s.) de levure
60 ml (4 c. à s.) d'huile de maïs

10 ml (2 c. à thé) de sel marin
1 litre (4 t.) de farine de blé dur (à pain)

• Dissoudre le miel dans l'eau tiède et saupoudrer la levure. Remuer légèrement afin que tous les grains de levure touchent l'eau.

• Laisser reposer 10 minutes. La levure gonfle.

• Dans un grand bol, mélanger l'huile et le sel, y ajouter la levure, brasser un peu. Ajouter 500 ml (2 t.) de farine de blé dur (à pain). Brasser.

• Ajouter 1 oeuf (facultatif).

• Brasser 200 coups pour activer le gluten et incorporer l'air.

• Ajouter le reste de la farine, bien mélanger. La pâte est plus collante que celle d'un pain traditionnel.

• Recouvrir le bol et laisser lever soit 1 heure à la température de la pièce, soit 8 heures au réfrigérateur.

• Chauffer le four à 180°C (350°F).

• Mettre beaucoup de farine sur la table, y déposer la pâte à pain, saupoudrer de farine et diviser en deux à l'aide d'un couteau.

• Pétrir chaque miche légèrement environ 5 minutes, le temps de bien incorporer la farine et de rendre la pâte non-collante.

• Faire une incision en forme de croix sur chaque miche avec un couteau tranchant.

• Déposer les 2 miches sur une plaque où vous aurez saupoudré de la farine ou de la semoule de maïs pour les empêcher de coller. Vous pouvez aussi cuire les 2 pains dans des moules à pains huilés.

• Cuire au four à 180°C (350°F) pendant 45-50 minutes.

*En mélangeant la pâte ou en la pétrissant, on peut incorporer graines, blé germé, ail, raisins, etc.

Savoureux pain facile et rapide puisqu'il ne lève qu'une fois!

● **Pains pita**

Les pains pita sont des pains du Moyen-Orient qui se fabriquent très bien à partir d'une recette de pain traditionnel. Il suffit, après la 1re levée, de façonner les pains de manière à ce qu'ils forment des galettes et de les cuire rapidement à haute température, de manière à ce qu'ils gonflent et s'affaissent ensuite pour former des pochettes qui peuvent être garnies.

625 ml (2 1/2 t.) d'eau tiède
30 ml (2 c. à s.) de miel
15 ml (1 c. à s.) de levure

30 ml (2 c. à s.) d'huile de maïs
15 ml (1 c. à s.) de sel
1,5 l (6 t.) de farine de blé dur

- Dissoudre le miel dans 125 ml (1/2 t.) d'eau tiède.

- Saupoudrer la levure, brasser un peu, laisser reposer 10 minutes.

- Mettre le mélange de levure dans un grand bol. Ajouter le reste de l'eau, l'huile et 750 ml (3 t.) de farine.

- Bien mélanger à la cuillère de bois, jusqu'à ce que le mélange soit souple et élastique.

- Ajouter le sel et le reste de la farine, graduellement, en mélangeant bien.

- Pétrir 10 minutes. La pâte doit être ferme et souple, mais non dure.

- Mettre la pâte dans un bol huilé, badigeonner d'un peu d'huile et couvrir.

- Placer le bol dans un endroit chaud et laisser reposer environ 1 heure jusqu'à ce que la pâte ait doublé de volume.

- Chauffer le four à 230°C (450°F).

- Abaisser la pâte avec le poing et la séparer en 24 boules de la taille d'un gros oeuf. Laisser reposer 10 minutes sous un linge sec.

- À l'aide d'un rouleau à pâte, aplatir les boules en galettes uniformes de 1 cm (1/4 po) d'épaisseur. Enfariner le rouleau si les galettes sont collantes.

- Mettre les pitas sur une tôle à pâtisserie non huilée et cuire sur la grille du four, placée au plus bas niveau, pendant 5 minutes ou jusqu'à ce que les pains gonflent. Si le dessous brunit avant le dessus, retournez-les.

OU

- On peut également faire cuire les pitas sur une petite grille placée à 3 cm (1 po) au-dessus de l'élément d'une cuisinière électrique ou dans une poêle en fonte. Température: entre moyen et fort.

- On dépose le pita sur la grille 1 minute, on le tourne avec une spatule en ayant soin de ne pas trouer le pâte; des bulles devraient apparaître après 1 ou 2 minutes.

- On retourne le pita qui gonfle ensuite sans difficulté.

- Cuire le pita au moins 2 minutes de chaque côté.

- Si on les sert immédiatement, placer les pains cuits dans un linge humide pour les garder tendres.

- Ils sont aussi délicieux et tendres réchauffés au four dans du papier aluminium.

Conservation:
- Dans un sac de plastique, au réfrigérateur.
- Ou au congélateur.

Idées de garniture:
- Couper le pain en deux, l'ouvrir et le garnir avec:
  - toutes sortes de salades;
  - yogourt, concombres, tomates;
  - trempette au tofu, cubes de poivrons verts;
  - oeufs, oignons, olives noires;
  - hummus ou falafels, luzerne, etc.
  - ouvrir le pita en 2 parties et le garnir comme une pizza.

Cette recette est aussi une recette de pain traditionnel. Elle peut servir à confectionner des petits pains individuels, 3 petits pains, 2 gros pains ou des pizzas.

● Les pâtes à tarte à l'huile

Saines, faciles et rapides. Donnent une pâte délicieuse et légèrement croustillante.

Principes de base

Ingrédients: farine à pâtisserie, huile, eau et sel.

- Pour une belle pâte, l'huile et l'eau doivent être très bien émulsionnées, c'est-à-dire très bien mélangées ensemble à l'aide d'une fourchette, d'un fouet ou du mélangeur.
- Les huiles de maïs et de carthame donnent les meilleurs résultats.
- Les pâtes à l'huile se roulent minces entre 2 feuilles de papier ciré.

NOTES:
- Afin d'obtenir une pâte facile à manier, il faut utiliser la farine à pâtisserie et non pas de la farine à pain.
- Cette pâte doit être utilisée immédiatement car l'huile aura tendance à ressortir; sinon il faut la congeler.

● Pâte à tarte à l'huile de maïs

Pour une abaisse de 23 cm (9 po). Vous pouvez faire votre pâte directement dans l'assiette à tarte, avec vos doigts; ou rouler la pâte entre 2 feuilles de papier ciré.

250 ml (1 t.) de farine à pâtisserie   60 ml (1/4 t.) d'huile de maïs
1 ml (1/4 c. à thé) de sel   60 ml (1/4 t.) d'eau froide

- Mélanger la farine et le sel dans l'assiette à tarte.
- Verser l'huile et l'eau dans une tasse à mesurer et bien émulsionner en brassant vigoureusement à la fourchette.
- Faites un puits au centre de la farine, y verser le mélange liquide et incorporer graduellement la farine au liquide.
- Finir avec les doigts et presser la pâte uniformément dans l'assiette et jusque sur le rebord.
- Presser le contour avec une fourchette et piquer un peu le fond.
- Cuire au four 7 minutes à 220°C (425°F) ou garnir et cuire selon la recette.

PRINCIPE FACILE ET EFFICACE!

- Pour une tarte complète, il faut toujours bien presser les bords ensemble. Faire un beau contour à l'aide des doigts ou une fourchette.

- Badigeonner le dessus de la tarte avec un jaune d'oeuf avant la cuisson fait dorer et briller la pâte.

- Découper les retailles de formes variées et appliquer sur l'abaisse afin de transformer la tarte en chef-d'oeuvre.

Pour 2 abaisses de 9-10 pouces ou 4 plus petites:

500 ml (2 t.) de farine à pâtisserie
2 ml (1/2 c. à thé) de sel marin
125 ml (1/2 t.) d'huile de maïs
125 ml (1/2 t.) d'eau froide

Pour 4 abaisses de 9-10 pouces ou 8 plus petites:

1 l (4 t.) de farine à pâtisserie
5 ml (1 c. à thé) de sel marin
250 ml (1 t.) d'huile de maïs
250 ml (1 t.) d'eau froide

● Pâte à tarte légère à l'huile

Pour 3 fonds de tarte ou 2 tartes complètes de 23 cm (9 pouces).

750 ml (3 t.) de farine à pâtisserie, tamisée
2 ml (1/2 c. à thé) de sel
125 ml (1/2 t.) d'huile de maïs

125 ml (1/2 t.) d'eau froide
1 oeuf légèrement battu
15 ml (1 c. à s.) de jus de citron

- Dans un bol, mélanger la farine et le sel.

- Mélanger ensemble l'huile, l'eau, l'oeuf et le jus de citron et verser ce mélange au centre de la farine.

- Incorporer graduellement la farine au liquide et former une boule avec les mains.

- Refroidir la pâte au réfrigérateur 15 à 30 minutes avant de la rouler (facultatif).

- Diviser et rouler sur une surface légèrement enfarinée ou entre 2 feuilles de papier ciré.

● Fond de tarte à la mie de pain

3 tranches de pain de blé entier
60 ml (1/4 t.) de lait en poudre
15 ml (1 c. à s.) de levure alimentaire

30 ml (2 c. à s.) de flocons d'avoine
60 ml (1/4 t.) d'huile
15 ml (1 c. à s.) de miel

- Émietter le pain au mélangeur.

- Dans une assiette à tarte de 9 pouces, mélanger les autres ingrédients.

- Incorporer le pain et presser, jusque sur le rebord de l'assiette.

- Cuire ou garnir selon la recette.

Ce fond de tarte est délicieux pour les tartes-dessert ou au fromage. Pour les tartes aux légumes ou quiches, remplacer le miel par de l'eau.

● Fond de tarte au riz

500 ml (2 t.) de riz cuit

- Presser le riz dans une assiette de 23 cm (9 po) avec les doigts.

- Mettre du riz jusque sur le rebord: très joli une fois la tarte cuite.

  *Passer les mains à l'eau glacée pour empêcher les grains d'y adhérer.

IDÉES DE REMPLISSAGE:
- quiche,
- purée de lentilles et tomates,
- légumes cuits en sauce béchamel, etc.

VARIANTE:
- remplacer le riz par de l'orge ou du millet.

● Croûte pas croûte

Pour 2 dessus de tarte ou le dessus d'un pâté de 20 cm x 25 cm (8"x 10").

500 ml (2 t.) de farine à pâtisserie
5 ml (1 c. à thé) de poudre à pâte sans alun
2 ml (1/2 c. à thé) de sel marin
250 ml (1 t.) de lait de soya ou autre
2 jaunes d'oeufs battus
15 ml (1 c. à s.) d'huile
2 blancs d'oeufs

- Mélanger les ingrédients secs.

- Mélanger le lait, les jaunes d'oeufs et l'huile. Incorporer aux ingrédients secs.
- Battre les blancs d'oeufs en neige et les incorporer doucement au mélange.
- Verser le mélange sur une tarte ou un pâté.
- Cuire à 200°C (400°F), 20 à 25 minutes jusqu'à ce que la croûte soit dorée.

● Quiche au fromage

3 oeufs
250 ml (1 t.) de lait de soya ou autre
2 ml (1/2 c. à thé) de sel
1 ml (1/4 c. à thé) de muscade

5 ml (1 c. à thé) de basilic
15 ml (1 c. à s.) de farine de blé
250 ml (1 t.) de fromage gruyère

- Battre les oeufs, ajouter le lait et les assaisonnements. Bien mélanger.
- Râper le fromage, y incorporer la farine et bien mélanger.
- Dans un fond de tarte au riz ou autre, mettre le fromage et le mélange des oeufs. Saupoudrer de paprika.
- Cuire 10 minutes à 190°C (375°F) et environ 25 minutes à 170°C (325°F).

Les quiches sont faciles et rapides à préparer et remportent toujours beaucoup de succès auprès de la famille. Délicieuses chaudes ou froides.

VARIANTES:

- À partir de la quiche au fromage, vous pouvez varier sans limite la composition de vos quiches, en y incorporant différents légumes et différents assaisonnements. Essayer:
  - quiche aux **épinards**: blanchis à la vapeur;
  - quiche aux **poireaux**: sautés au préalable avec de l'ail. Garnir de tomates;
  - quiche au **brocoli**: attendri à la vapeur et coupé en morceaux;
  - quiche aux **poivrons et tomates**: sauter les poivrons avec de l'ail, ajouter tomate et basilic.

Idées pour les sandwiches

Afin que les lunchs ou les repas rapides soient nutritifs, variés et réjouissants.

- Tartinade au tofu, luzerne, carotte râpée finement.
- Hummus, tomate, luzerne, sauce au yogourt ou au tahini.
- Hummus, cubes de poivron, laitue.
- Tartinade tofu-beurre d'arachide, tranches de bananes et de pommes.
- Tomate et avocat en tranches, levure alimentaire, germes de radis.
- Tranches de tofu, lanières d'olives noires, lanières de chou chinois.
- Purée de légumineuse, laitue.
- Fromage ricotta, betterave râpée finement, luzerne.
- Oeufs brouillés, poivron rouge, échalote.
- Germes de radis, fromage ricotta.
- Cretons végétariens, laitue.

Excellents sandwiches à base de pain de blé entier, de seigle ou d'autres céréales, tartiné de mayonnaise ou de beurre de noix (arachide, amande, etc.).

● La fleur des pizzas*   6 PORTIONS

6 pains pita de blé entier
300 ml (1 1/4 t.) de sauce tomate, ail, fines herbes
2 courgettes
2 tomates
12 champignons
1 oignon rouge
2 gousses d'ail
6 olives noires

1 poivron vert en lanières de 1 po x 1/4 po
30 ml (2 c. à s.) de parmesan râpé
250 ml (1 t.) de mozzarella râpé
250 ml (1 t.) de cheddar fort râpé
5 ml (1 c. à thé) d'origan
30 ml (2 c. à s.) d'huile d'olive
Une pincée de poivre de cayenne

- Trancher courgettes, tomates, champignons en rondelles.
- Hacher fin l'oignon rouge, l'ail et râper les carottes.
- Étendre 30 ml (2 c. à s.) de sauce tomate sur chaque pain pita.

- Disposer les tranches des courgettes autour des pains, puis les tranches des tomates coupées en deux, sur les courgettes.
- Combler le centre avec les carottes râpées.
- Ajouter 15 ml (1 c. à s.) de sauce sur les carottes, saupoudrer chaque pizza de 5 ml (1 c. à thé) de parmesan.
- Répartir l'oignon rouge et l'ail sur chaque pizza. Disposer les tranches de champignons comme les pétales d'une fleur.
- Ajouter 5 ml (1 c. à thé) d'huile d'olive par pizza.
- Mélanger les fromages et garnir les pizzas. Saupoudrer d'origan et de cayenne.
- Placer une olive noire au centre de chaque pizza et disposer 5 lanières de poivron vert autour de l'olive.
- Admirer vos chefs-d'oeuvre. Cuire 10 minutes à 220°C (450°F). Déguster.

*Recette de "La Maison du bouquet garni" de Victoriaville; prêt-à-manger végétarien et service de traiteur.

Pour les sandwiches chauds

Lorsque le temps ou l'énergie viennent à manquer, voici quelques suggestions de mets vite préparés et réconfortants.

- **Pizza-sandwich:** sauce tomate, poivron, tranche de tomate, origan, fromage à gratiner. Mettre au four sur une tôle.
- **Pain aux champignons:** sauter des champignons avec de l'ail, garnir du pain à l'ail et gratiner au four.
- **Pain à l'avocat:** étendre des tranches d'avocat et de tomate sur du pain grillé, gratiner au four.

Les crêpes constituent un déjeuner agréable et nutritif ou un repas principal inusité.

Les pâtes à crêpes ou à galettes sont meilleures et se travaillent plus facilement lorsqu'elles sont préparées à l'avance. Couvrir et laisser reposer de 2 à 8 heures à la température de la pièce ou au réfrigérateur si les oeufs sont déjà incorporés à la préparation.

● Crêpes simples

500 ml (2 t.) de farine de blé à
pâtisserie
500 ml (2 t.) de lait de soya
et/ou de l'eau

2 ml (1/2 c. à thé) de sel marin
3 oeufs battus
15 ml (1 c. à s.) d'huile

- • Mélanger tous les ingrédients liquides au fouet, au robot ou au mélangeur.
- • Ajouter la farine et le sel et bien mélanger.
- • Chauffer une poêle à feu moyen. Lorsque la poêle est chaude, ajouter un peu d'huile. Une poêle bien chaude ne requiert presque pas d'huile.
- . Faire vos crêpes!

VARIANTES:

- - Utiliser d'autres sortes de farine, seule ou en mélange, pour changer goût, texture et couleur.
- - Utiliser davantage de liquide, si vous désirez des crêpes très minces et que vous n'avez pas le temps de laisser reposer la pâte.

● Crêpes d'avoine:

- • 500 ml (2 t.) de flocons d'avoine passés au mélangeur donnent de la farine qu'on utilise au lieu de la farine de blé; procéder comme dans la recette.

● Crêpes de sarrasin:

- • 500 ml (2 t.) de liquide, moitié lait - moitié eau, 250 ml (1 t.) de farine de blé, 250 ml (1 t.) de farine de sarrasin, 2 oeufs, 1 pincée de sel, 30 ml (2 c. à s.) d'huile. Procéder comme dans la recette.

● Galettes de sarrasin

250 ml (1 t.) de farine de sarrasin
250 ml (1 t.) d'eau

2 ml (1/2 c. à thé) de sel

- . Bien mélanger, laisser reposer et confectionner les galettes dans une poêle en fonte chaude.

Servir chaude avec l'une ou l'autre des idées de garniture.

IDÉES DE GARNITURE pour crêpes et galettes

- Légumes sautés: oignons, poivron rouge, chou vert en lanières, ajouter une pomme.

- Fromage râpé dans une béchamel très épaisse.

- Ajouter des graines de tournesol et de la noix de coco râpée dans la préparation de base, avant la cuisson. Surprenant!

- Une fine couche de miso avec fromage "cottage", luzerne, carotte râpée.

- Épinards ou asperges cuits à la vapeur, cubes de tofu, béchamel épaisse au parmesan.

- Purée de légumineuses: hummus agrémenté de luzerne.

- Compote de fruits ou mousse aux fruits secs avec du yogourt.

- Pommes râpées et fromage râpé.

- Herbes fraîches ou séchées, ajoutées à la préparation rehaussent la saveur.

Voyez, il n'y a pas que la mélasse et le sirop d'érable; Sortons du traditionnel... expérimentons!

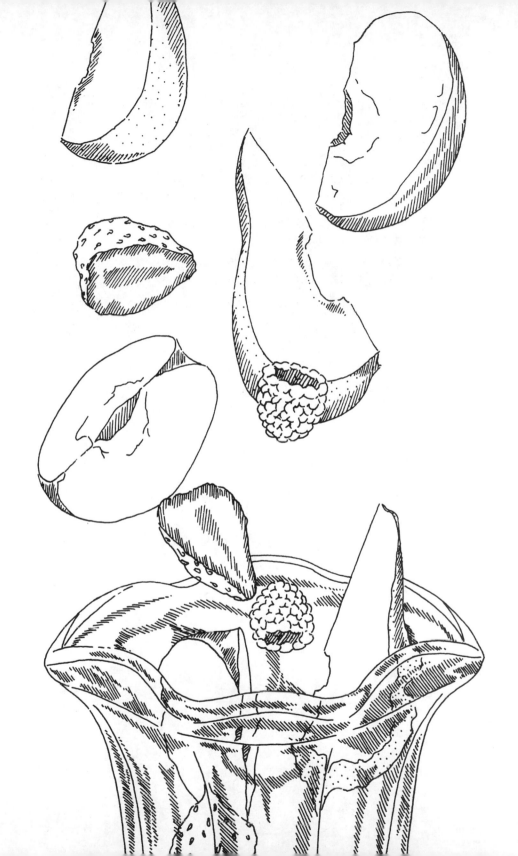

CHAPITRE IX

Les desserts

● Purée rhubarbe et dattes

- Cuire de la rhubarbe en morceaux, à feu doux, avec un peu d'eau.
- Lorsque la rhubarbe se défait bien, ajouter la quantité de dattes en morceaux que vous désirez. Ex.: 1/3 dattes -2/3 rhubarbe.
- Cuire encore un peu pour défaire les dattes.

Servir au déjeuner, sur du pain ou des galettes avec du yogourt.

VARIANTE:

-Comme garniture de tarte. Lors de la cuisson, épaissir avec de la fécule délayée dans un peu d'eau.

● Sauce aux dattes

12 dattes dénoyautées	125 ml (1/2 t.) d'eau ou de jus de pomme

- Laver les dattes et tremper toute une nuit.
- Passer au mélangeur avec l'eau de trempage.
- Ajouter 5 ml (1 c. à thé) de jus de citron, si désiré.

On peut aussi liquéfier directement les dattes au mélangeur, sans trempage.

Servir avec du yogourt, ou des fruits, ou sur un gâteau ou un muffin pour remplacer le glaçage.

● Beurre de pruneaux

- Laver et tremper des pruneaux dans l'eau pendant au moins 8 heures.
- Dénoyauter et passer au mélangeur avec l'eau de trempage ou du jus.

VARIANTES:

- -Passer au mélangeur avec une pomme et/ou quelques noix.
- -La quantité de liquide utilisée déterminera la consistance: beurre, mousse ou sauce.
- -Essayer avec des poires, pêches ou abricots séchés pour varier.

NOTE: utiliser des fruits séchés N.S./N.F. (non-sulfurés, non-fumigés). Ces purées-maison remplacent avantageusement confiture et glaçage. Servir sur des bananes tranchées ou en alternant avec du yogourt ou de la crème fouettée au tofu dans une coupe.

● Sauce à l'avocat

1 ou 2 avocats mûrs   125 ml (1/2 t.) de jus de pomme
30 ml (2 c. à s.) de miel

- Au mélangeur et voilà.

Servir sur des fruits ou gâteaux, décorée avec de la noix de coco ou graines.

On peut ajouter une banane en la mélangeant pour la rendre encore plus substantielle.

VARIANTE:

- -**Mousse à l'avocat:** ajouter plus de fruits et moins de liquide. Ex.: 1 avocat - 1 pomme ou 1 avocat - 1 banane, passés au mélangeur avec un peu de jus si nécessaire. Un délice! Une joyeuse collation!

Mousse aux fruits frais 4 PORTIONS

6 pêches bien mûres
4 oranges **ou** 4 bananes
15 ml (1 c. à s.) de zeste d'orange
30 ml (2 c. à s.) de miel

30 ml (2 c. à s.) de jus de citron
500 ml (2 t.) de yogourt
Noix hachées

- Peler les fruits, les passer au robot ou mélangeur avec le zeste, le miel et le jus de citron.
- Ajouter le yogourt et verser dans des coupes; décorer de noix hachées. Réfrigérer quelques heures.

Salade de fruits

- Couper 3 variétés de fruits, selon la saison. Hiver, printemps: pommes, bananes, raisins coupés et épépinés. Été, automne: le choix est multiple.
- Mettre dans un grand bol, arroser de jus de pomme et recouvrir de noix de coco et de quelques pincées de cannelle.

VARIANTES:

- Si vous utilisez de l'ananas, servir dans l'ananas.
- L'été, composer des salades de melons, servies dans un melon.
- Ajouter quelques gouttes d'essence de noix de coco ou de fruits de la passion pour un peu d'exotisme.
- L'hiver, composer des salades de fruits acides, orange, mandarine, ananas. Garnir de noix hachées.

Salade pommes - dattes - tahini 4 PORTIONS

4 pommes
15 ml (1 c. à s.) de tahini (beurre de sésame)

125 ml (1/2 t.) de dattes N.S./N.F.
15 ml (1 c. à s.) de yogourt

- Couper les pommes en cubes, hacher les dattes et les ajouter aux pommes.
- Ajouter le tahini et yogourt. Harmoniser le tout.

VARIANTES:

- Ajouter des noix de Grenoble, des graines de tournesol.

-Utiliser d'autres fruits comme la banane, la poire, etc.

- Passer le tout au mélangeur, vous obtiendrez une sauce crémeuse.

● Pommes farcies au four 4 PORTIONS

4 pommes	15 ml (1 c. à s.) de miel
125 ml (1/2 t.) de raisins secs	2 ml (1/2 c. à thé) de cannelle
60 ml (1/4 t.) de tahini (beurre de sésame)	

- Laver les pommes, enlever les coeurs.

- Mélanger raisins, tahini, miel, cannelle.

- Placer les pommes dans un plat huilé allant au four, remplir le centre avec le mélange de raisins.

- Couvrir et cuire à 180°C (350°F) 25-30 minutes.

VARIANTES:

-Peler les pommes, les arroser de jus de citron, les farcir et les placer entières sur un carré de pâte à tarte que l'on replie sur les pommes. Cuire au four à 200°C (400°F).

-Couper la pomme en morceaux, mélanger aux autres ingrédients et placer sur un carré de pâte qu'on replie en triangle; bien sceller les bords et cuire au four à 200°C (400°F) jusqu'à ce que la pâte soit bien dorée.

Servir chaud ou froid en collation ou au déjeuner.

● Bananes au caroube 8 POPSICLES

4 bananes	Noix hachées
125 ml (1/2 t.) de poudre de caroube	Noix de coco

- Couper les bananes en deux ou en trois selon la longueur.

- Insérer un bâtonnet et tremper la banane dans la poudre de caroube diluée avec un peu d'eau. On peut ajouter 5 ml (1 c. à thé) de miel si désiré.

- Rouler la carou-banane dans des noix finement hachées et de la noix de coco.

- Placer sur une tôle et congeler quelques heures.

Servir en collation ou pour un "spécial-enfant".

● Crème glacée "expresso"

4 bananes mûres

- Congeler les bananes pelées dans un sac de plastique, au moins 24 heures.
- Passer au robot les bananes gelées coupées en morceaux, ou au mélangeur; dans ce cas, utiliser un peu de yogourt pour amorcer le processus. Donne une crème glacée molle.

VARIANTES:

- -On peut mettre les fruits en purée d'abord, puis congeler ensuite. Donne une crème glacée dure. Sortir un peu à l'avance pour amollir.
- -Ajouter des noix en morceaux.
- -Utiliser d'autres variétés de fruits comme les pêches. Peler et congeler. Les fruits autres que la banane donneront une consistance de sorbet.
- -Utiliser n'importe quel fruit sec comme garniture, seul ou en mélange.

● Tarte crue aux fruits

200 ml (3/4 t.) de graines de tournesol grillées

125 ml (1/2 t.) de raisins secs
125 ml (1/2 t.) de noix de coco

- Passer au robot et presser ce mélange dans une assiette à tarte. Si le mélange ne se tient pas, ajouter un peu de jus ou d'huile pour lier et congeler au moins une heure avant de garnir.
- Couper des fruits de saison (3 variétés), déposer dans le fond de tarte congelé.
- Recouvrir généreusement de yogourt et décorer avec des fruits.

    Superbe et inusité. Servir comme dessert ou au déjeuner.

VARIANTE:

- -Utiliser de la crème fouettée au tofu au lieu du yogourt.

• Tarte aux bananes et fromage "cottage"

250 ml (1 t.) de fromage "cottage" 60 ml (1/4 t.) de farine de blé
2 bananes mûres 15 ml (1 c. à s.) de miel
250 ml (1 t.) de yogourt nature

- Passer tous les ingrédients au mélangeur.

- Verser dans une croûte non cuite. Le fond de tarte à la mie de pain s'avère délicieux dans ce cas.

- Cuire à 180°C (350°F) 30 minutes, jusqu'à ce que le centre soit solide.

Servir refroidie, garnie de noix ou de banane en tranches.

• Tarte à la caroube

FOND DE TARTE:

250 ml (1 t.) de farine à pâtisserie 30 ml (2 c. à s.) de miel
125 ml (1/2 t.) de flocons d'avoine 15 ml (1 c. à s.) d'eau
60 ml (1/4 t.) d'huile de maïs

- Dans un bol, mélanger les ingrédients secs.

- Dans une tasse à mesurer, bien fouetter l'huile, le miel et l'eau et ajouter ce mélange aux ingrédients secs.

- Bien mélanger et tapisser le fond et les rebords d'une assiette à tarte huilée de 23 cm (9 pouces)

- Cuire à 180°C (350°F) pendant 10 minutes.

Excellent fond de tarte, pour les desserts.

GARNITURE:

Un blanc-manger + de la caroube. SIMPLE ET DÉLICIEUX

500 ml (2 t.) de lait 45 ml (3 c. à s.) de fécule délayée
45 ml (3 c. à s.) de caroube avec 30 ml (2 c. à s.) de lait
30 ml (2 c. à s.) de miel 2 ml (1/2 c. à thé) de vanille

- Chauffer le lait, ajouter la caroube, la fécule et le miel.

- Continuer à chauffer, en brassant jusqu'à épaississement. Ajouter la vanille.

- Verser la garniture dans le fond de tarte cuit, décorer avec des noix de Grenoble et de la noix de coco. Réfrigérer.

VARIANTE:

-Servir comme blanc-manger en omettant la caroube.

● **Tarte à la crème anglaise** (costarde)

Fond de tarte: au choix

500 ml (2 t.) de lait   2 jaunes d'oeufs battus
30 ml (2 c. à s.) de miel   5 ml (1 c. à thé) de vanille
45 ml (3 c. à s.) de fécule de marante

- Mélanger et chauffer le lait, le miel et la fécule en remuant sur feu moyen, jusqu'à épaississement.
- Ajouter les jaunes d'oeufs et la vanille, réduire la chaleur et bien mélanger.

   Verser dans un fond de tarte ou dans des coupes; garnir de fraises fraîches et réfrigérer avant de servir.

● **Dattes "surprise"**

Dattes, amandes, jus de pomme.

- Moudre des amandes et y incorporer du jus de pomme pour en faire une pâte.
- Dénoyauter des dattes et les farcir avec cette pâte!

● **Bonbons à la caroube**

125 ml (1/2 t.) de beurre   60 ml (1/4 t.) de graines de lin
d'arachide   moulues
60 ml (1/4 t.) de poudre de   60 ml (1/4 t.) de miel
caroube

- Bien mélanger et confectionner de petites boules.
- Rouler dans de la noix de coco et/ou des noix hachées. Réfrigérer.

VARIANTES:

-Pour des bonbons au beurre d'arachide, remplacer la caroube par de la poudre de lait.

-On peut y ajouter des noix hachées ou des flocons d'avoine.

-On peut hacher finement des fruits secs et les ajouter aux bonbons.

-Utiliser différentes sortes de graines: sésame, tournesol, citrouille.

● **Carrés aux raisins**   10 CARRÉS

Garniture:

500 ml (2 t.) de raisins secs Thompson BIO N.S./N.F.

- Laver et tremper les raisins dans suffisamment d'eau pour les recouvrir. Tremper de 2 à 8 heures.
- Passer les raisins au mélangeur avec un peu de jus de trempage, jusqu'à l'obtention d'une pâte épaisse.

● **Croûte:**

325 ml (1 1/3 t.) de farine à pâtisserie
450 ml (1 3/4 t.) de flocons d'avoine

75 ml (1/3 t.) de miel
175 ml (2/3 t.) d'huile de carthame
2 pommes en lamelles

- Bien mélanger farine, flocons et miel.
- Incorporer l'huile jusqu'à ce que le mélange soit de texture granuleuse.
- Presser la moitié de la préparation dans un moule huilé 20 cm x 20 cm (8 po x 8 po).
- Couvrir d'une pomme tranchée puis de la garniture de raisins et terminer avec l'autre pomme. Couvrir avec le reste de la préparation de la croûte.
- Cuire à 180°C (350°F) pendant 45 minutes. Couper en carrés.

● **Carrés aux carottes**

250 ml (1 t.) de carottes râpées
125 ml (1/2 t.) de raisins secs
1 oeuf battu
125 ml (1/2 t.) de dattes hachées

125 ml (1/2 t.) de pommes râpées
250 ml (1 t.) de farine de blé
1 ml (1/4 c. à thé) de sel

- Tremper les raisins secs dans juste assez d'eau tiède pour les couvrir.

- Mélanger tous les ingrédients et se servir de l'eau de trempage pour humidifier suffisamment.
- Mettre la préparation dans un plat huilé.
- Cuire au four à 180°C (350°F) 30 minutes.
- Refroidir et découper en carrés.

Servir comme collation ou placer dans la boîte à lunch.

● Carrés aux fruits sans sucre*   16 CARRÉS DE 5 CM (2 PO)

375 ml (1 1/2 t.) de flocons d'avoine
125 ml (1/2 t.) de farine de blé à pâtisserie
75 ml (1/3 t.) de noix de coco râpée
125 ml (1/2 t.) de dattes hachées
125 ml (1/2 t.) de figues hachées

60 ml (1/4 t.) de raisins de Corinthe
60 ml (1/4 t.) d'abricots hachés
75 ml (1/3 t.) d'huile de tournesol
200 ml (3/4 t.) de bananes en purée
ou de compote de pommes

- Mélanger tous les ingrédients dans l'ordre indiqué.
- Presser dans un moule carré huilé de 20 cm x 20 cm (8 po x 8 po).
- Cuire à 180°C (350°F) pendant 20 minutes.
- Couper en carrés dans le moule pendant que la préparation est encore chaude.

*Recette de la bouquinerie-café: "Le Mille-Feuilles", chemin St-Louis, Sillery, Québec.

● Gelée aux pommes

30 ml (2 c. à s.) d'agar agar en poudre
ou 60 ml (4 c. à s.) d'agar agar en flocons

1 litre (4 t.) de jus de pomme

- Tremper l'agar-agar dans le jus pendant 5 minutes afin de mieux dissoudre.
- Amener au point d'ébullition, réduire la chaleur et cuire en brassant jusqu'à ce que l'agar-agar soit complètement dissout.
- Si vous utilisez du jus congelé, dissoudre l'agar-agar dans l'eau seulement et porter à ébullition puis ajouter le concentré. On évite de chauffer la pulpe inutilement.

- Verser dans un moule ou des coupes. Laisser refroidir un peu à la température de la pièce, puis réfrigérer.

VARIANTES

-Pour une gelée que l'on veut démouler, refroidir dans l'eau glacée. Lorsque demi-solide, ajouter des fruits si désiré et réfrigérer. Pour démouler, passer un couteau tout autour, mettre le moule dans l'eau chaude quelques instants et renverser sur une assiette.

-Colorer le jus de pomme avec de la poudre ou du jus de betterave pour une belle gelée rouge et incorporer des fraises; superbe!

-Lorsque demi-solide, fouetter avec du yogourt et congeler dans des contenants à ''popsicles'' ou autre; délicieux!

NOTE: Si vous préférez utiliser l'agar-agar en poudre et que vous n'en trouvez qu'en flocons, passez-les au moulin à café et le tour est joué.

● Biscuits "Pomme d'amie"   36 BISCUITS

125 ml (1/2 t.) d'huile
125 ml (1/2 t.) de miel
2 oeufs
425 (1 3/4 t.) de farine de blé entier à pâtisserie
125 (1/2 t.) de flocons d'avoine
2 ml (1/2 c. à thé) de sel marin

7 ml (1 1/2 c. à thé) de poudre à pâte
1 ml (1/4 c. à thé) de cannelle
125 ml (1/2 t.) de raisins secs
250 ml (1 t.) de noix hachées
375 ml (1 1/2 t.) de pommes finement hachées

- Chauffer le four à 180°C (350°F).

- Battre l'huile, le miel jusqu'à consistance crémeuse.

- Ajouter les oeufs et bien mélanger.

- Dans un grand bol, mélanger tous les autres ingrédients; ajouter la partie liquide. Bien mélanger.

- Déposer à la cuillère sur une plaque à biscuits légèrement huilée et cuire 12 à 15 minutes.

● Gâteau de blé

500 ml (2 t.) de farine de blé à pâtisserie
10 ml (2 c. à thé) de poudre à pâte
125 ml (1/2 t.) d'huile de carthame

75 ml (1/3 t.) de miel
2 oeufs
125 ml (1/2 t.) de lait
5 ml (1 c. à thé) de vanille

- Tamiser les ingrédients secs.
- Bien battre l'huile et le miel (3 ou 4 minutes au mélangeur est excellent).
- Ajouter les oeufs, le lait et la vanille et battre à nouveau.
- Incorporer les ingrédients secs et bien mélanger.
- Verser la préparation dans un moule rond de 23 cm (9") de diamètre, huilé et enfariné.
- Cuire au four à 180°C (350°F), 35 à 40 minutes, ou jusqu'à ce qu'un cure-dent ressorte propre du gâteau.

Servir avec une sauce aux fruits secs ou une sauce aux pommes.

VARIANTES:

- Transformer de gâteau simple et délicieux en dessert plus élaboré.
- Briser le gâteau en morceaux. Le placer au fond d'un joli plat. Couvrir de fruits coupés et d'une sauce au jus de pomme. Servir tiède... une bagatelle quoi!
- Placer plutôt les fruits au fond du plat avec un peu de sauce, recouvrir de pâte à gâteau et cuire. Refroidir et renverser sur une assiette... et oui, un renversé!

● **Sauce au jus de pomme**

45 ml (3 c. à s.) d'huile   60 ml (4 c. à s.) de miel
60 ml (4 c. à s.) de farine   1 pincée de cannelle
375 ml (1 1/2 t.) de jus de pomme chaud (ou autre jus)

- Chauffer l'huile dans un chaudron à fond épais à feu très doux.
- Ajouter la farine et brasser avec une cuillère de bois. Cuire environ trois minutes en brassant pour éviter que la sauce goûte la farine crue.
- Ajouter le jus chaud et brasser énergiquement avec un fouet.
- Amener au point d'ébullition, toujours en brassant.

Servir sur gâteau, crêpe, muffin, etc.

VARIANTE:

- Mélanger le jus et 30 ml (2 c. à s.) de fécule de marante et le miel et cuire jusqu'à épaississement.

● **Barres tendres au gruau**

750 ml (3 t.) de flocons d'avoine
250 ml (1 t.) de farine de blé entier à pâtisserie
2 ml (1/2 c. à thé) de poudre à pâte
75 ml (1/3 t.) d'huile
75 ml (1/3 t.) d'eau

250 ml (1 t.) de miel
5 ml (1 c. à thé) de vanille
125-250 ml (1/2 à 1 t.) de raisins secs
1 ml (1/4 c. à thé) de sel marin
Une pincée de cannelle

- Chauffer le four à 180°C (350°F).
- Huiler une plaque à biscuits.
- Dans un grand bol, mélanger tous les ingrédients secs.
- À part, battre ensemble les ingrédients liquides. Ajouter au mélange sec. Bien mélanger.
- Étendre la pâte sur la plaque à biscuits et cuire 15 minutes ou jusqu'à ce que le dessus soit un peu doré.
- Laisser refroidir avant de couper.

● **Muffins simples aux bananes sans oeufs** 12 MUFFINS

3 bananes mûres écrasées
500 ml (2 t.) de farine à pâtisserie
15 ml (1 c. à s.) de poudre à pâte
125 ml (1/2 t.) de lait ou d'eau

125 ml (1/2 t.) d'huile de maïs
75 ml (1/3 t.) de miel
30 ml (2 c. à s.) de zeste d'orange

- Mélanger les ingrédients secs.
- Mélanger l'huile et le miel, ajouter le lait, les bananes et le zeste.
- Bien incorporer ce mélange à la farine.
- Cuire à 180°C (350°F) pendant 25 minutes dans des moules à muffins huilés.

BON DÉJEUNER!

• Crème fouettée au tofu

125 ml (1 / 2 t.) de noix d'acajou   30 ml (2 c. à s.) de miel
ou de beurre de sésame   5 ml (1 c. à thé) de vanille
225 g (1 / 2 bloc) de tofu en cubes   Du liquide

- Moudre les noix au mélangeur. Ajouter le tofu, le miel et la vanille.

- Ajouter un peu de liquide (jus de pomme, lait ou eau) pour faciliter le mélange et fouetter jusqu'à l'obtention d'une crème onctueuse.

Servir avec des fruits frais ou une gelée.

Sert aussi de glaçage à gâteau. Ajouter poudre de bette-rave pour un glaçage rose.

• Glaçage à gâteau ou à muffins

Il suffit d'utiliser de la poudre de lait au lieu du sucre à glacer pour un gâteau.

125 ml (1 / 2 t.) de poudre de lait   15 ml (1 c. à s.) de miel
30 ml (2 c. à s.) de lait   5 ml (1 c. à thé) de vanille
30 ml (2 c. à s.) d'huile

- Mélanger l'huile, le miel et la vanille. Ajouter la poudre de lait.

- Fouetter jusqu'à ce que le mélange soit crémeux. Ajouter du liquide si nécessaire.

VARIANTES: Pour un glaçage

- à la caroube: ajouter 45 ml (3 c. à s.) de caroube;

- aux épices: ajouter cannelle, muscade, quatre-épices au goût;

- rose: ajouter de la poudre ou du jus de betterave;

- aux fruits: remplacer le lait par du jus de fruit et du zeste;

- à la noix de coco: ajouter de la noix de coco;

- au tofu: utiliser la recette de crème fouettée au tofu;

- sans produits laitiers: utiliser la poudre de lait de soya et du lait de soya ou du jus;

- au beurre d'arachide ou autre: ajouter du miel à la recette de beurre émulsionné.

● **Glaçage moka***

125 ml (1/2 t.) de lait
125 ml (1/2 t.) de café de céréales
60 ml (1/4 t.) de miel
15 ml (1 c. à s.) de caroube

30 ml (2 c. à s.) de fécule délayée
dans 45 ml (3 c. à s.) de lait froid
15 ml (1 c. à s.) d'huile
5 ml (1 c. à thé) de vanille.

- Bien mélanger les 4 premiers ingrédients, porter à ébullition et épaissir avec la fécule délayée dans le lait.

- Refroidir et ajouter l'huile et la vanille. Bien mélanger.

*Recette du restaurant végétarien "Au jardin", de Montréal, coin Marie-Anne et Drolet.

Recettes personnelles

Recettes personnelles

Recettes personnelles

Recettes personnelles

Recettes personnelles

Recettes personnelles

Recettes personnelles

Recettes personnelles

Quelques références

CHAPITRE 1 Les additifs chimiques
(1) Linda R. Pim: "Nos aliments empoisonnés", p. 19, 1986.

CHAPITRE IV Les besoins de l'organisme
(1) Société canadienne du Cancer: brochure "Le cancer et le régime alimentaire". 1986.
(2) Jane Brody's Nutrition Book, p. 150. 1987.
(3) Médecine moderne du Canada: revue février, p. 14. 1987.
(4) Scheider: "La nutrition", p. 69. 1984.
(5) Scheider: "La nutrition", p. 80. 1984.
(6) Jean de Trémollières: "Les bases de l'alimentation", p. 170. 1984.
(7) Scheider: "La nutrition", p. 110. 1984.
(8) Jane Brody's Nutrition Book, p. 45. 1987.
(9) Scheider: "La nutrition", p. 116. 1984.
(10) Scheider: "La nutrition", p. 116. 1984.
(11) Santé et Bien-être social Canada: "Apports nutritionnels recommandés pour les Canadiens-nes". 1983.
(12) Jane Brody's Nutrition Book, p. 180. 1987.
(13) Dr C. Kousmine: "Soyez bien dans votre assiette", p. 149. 1980.

CHAPITRE V Le système digestif
(1) Scheider: "La nutrition", p. 178. 1984.

CHAPITRE VII Les céréales
(1) Claude Aubert: "Une autre assiette", p. 151. 1979.
(2) Médecine moderne du Canada: revue février, p. 14. 1987.
(3) Linda R. Pim: "Additive Alert", p. 35. 1981.

CHAPITRE VIII Les légumineuses
(1) W. Shurtleff and A. Aoyagi: "The Book of Miso". 1983.

CHAPITRE X La germination
(1) F. and R. Hurd: "Ten Talents", p. 291. 1968.
(2) Claude Aubert: "Une autre assiette", p. 150. 1979.
(3) Michèle Caya: "Découvrez les graines germées", p. 37. 1982.

CHAPITRE XIV Les autres produits à connaître
(1) Jane Brody's Nutrition Book, p. 203. 1987.

Index des tableaux et illustrations

Table des matières

LE LIVRE DES RECETTES

PÂTES ALIMENTAIRES

LÉGUMINEUSES

TOFU

Bibliographie

Alpha Santé, Collection, **Les secrets d'une bonne alimentation** .

André, J., **L'équilibre nutritionnel du végétarien** - Louvain, Paris 1985.

Aubert, C., **Une autre assiette** - Debard, Paris 1979.

Baker, E. and E., **The Uncook Book** - Drelwood Publications, Colorado 1980.

Bessette, C., **La gastronomie végétarienne** — Dossier A.P.R.A.S., 1986.

Brody, J., **Jane Brody's Nutrition Book** - Bantam, U.S.A. 1987.

Brown, E., **Tassajara Cooking** - Shambala, Berkeley 1973.

Caron, C., **L'eau et la santé** - Dossier A.P.R.A.S. Québec 1986.

Chelf Hudon, V., **La grande cuisine végétarienne**** Stanké, Québec 1985.

Caya, M., **Découvrez les graines germées** - Nature et Progrès, France 1982.

Coopérative La Balance, **Catalogue de nos produits** - Balance, Québec 1985.

Faelten, S., and the Editors of Prevention Magazine, **Minerals For Health** - Rodale Press, U.S.A. 1981.

Frappier, R., Gosselin, D., **Le système digestif et la digestion** - Dossiers A.P.R.A.S., Québec 1987.

Gélineau, C., **La germination dans l'alimentation** - Québec 1978.

Hamel Mongeau, S., **Le Kéfir** - Dossier A.P.R.A.S., Québec 1986.

Hamelin, A.M., **Le prêt-à-manger végétarien, 1986**

Hurd, F. and R., Ten Talents - Hurd 1968.

Kirschmann, J., Dunne, L., **Nutrition Almanac - McGraw-Hill, 1984.**

Kousmine, C., **Soyez bien dans votre assiette** jusqu'à 80 ans et plus - Tchou, France 1980.

Krause, M., Hunscher, M., **Nutrition et diétothérapie** - HRW 1978.

Lambert Lagacé, L., **Menu de santé** - éd. de l'Homme, Montréal, 1977.

La cuisine au tofu - Aurore 1979.

Magarinos, H., **Cuisine pour une vie nouvelle** - Debard, Paris 1982.

Médecine moderne du Canada, revue février 1987.

Moore, Lappé, F., **Diel For a Small Planet** - Ballantine 1982.

Pim R. L., **Additive Alert** - Double Day 1981.

Pim R.L., **Nos aliments empoisonnés** - Québec-Amérique 1986.

Passebecq, A. et J., **Cours d'alimentation de santé** - Vie et Action.

Robertson, L. Flinders, C., Ruppenthal, B. **The New Laurel's Kitchen** - 10 Speed Press 1986.

Robinson, C.H., **Normal and Therapeutic Nutrition**, 15 éd. Macmillan.

Rosnay, S. et J. de, **La Malbouffe** - Seuil, 1981.

Santé et Bien-être social Canada, **Apports nutritionnels recommandés**, Approvisionnements et services Canada, 1983.

Santé et Bien-être social Canada, **Le manuel du guide alimentaire canadien**, (Révision), 1982.

Scheider, W., **La nutrition** - McGraw Hill, 1985.

Shurtleffs W. and Aoyagi, A., **The Book of Miso** - Ten Speed Press, U.S.A. 1983.

Société Canadienne du Cancer: Brochure, **Le cancer et le régime alimentaire** 1986.

Spence et Mason, **Anatomie et physiologie,** une approche intégrée.

Starenkyj, D., **Le mal du sucre** - Publications Orion Inc., Québec 1981.

Starenkyj, D., **Mon petit docteur** - Publications Orion Inc., Québec, 1985.

Schmidt, G., **Alimentation dynamique** I-Triades, 1977.

Trash, A., and C., **Nutrition For Vegetarians** - Trash Publications, 1982.

Trémollières, J., Serville, Y., Jacquot, R., Dupin, H., **Les bases de l'alimentation** - E.S.F. 1984.

Trémollières, J., Serville, Y., Jacquot, R., Dupin, H., **Les aliments** - E.S.F. 1968.

United States Department of Agriculture, Handbook of the Nutritionnal Contents of Foods - Dover U.S.A.

Wigmore, A., **The Hippocrates Diet And Health Program**, - Avery Publishing Group Inc., U.S.A. 1984.